Rêves de golf

John Updike

Rêves de golf

Traduit de l'américain
par Hugues Leroy

Albin Michel

Titre original :

GOLF DREAMS

Traduction française :

22, rue Huyghens, 75014 Paris

ISBN : 2-226-09335-4

A mes partenaires qui ont quitté ce monde – Dorothy Wilde, John Conley, Ted Lucas, Miné Crane, Jerry Mason, Hank Bourneuf – et à ceux qui arpentent toujours les fairways : Wick Potter, Ted Vrettros, Vas Vrettros, Steve Bergman, Dick Purinton, Josiah Welch, Joan Hart, Dick Harte, Jacques de Spoelberch, Arthur O'Brien, Peter Connolly, Sonny Palmer, Sid Cohen, Stuart Strong, Bill Nichols, David Updike et Michael Updike, pour n'en citer que quelques-uns.

Sommaire

Préface

L'été même où je me décidai enfin, sur la recommandation déjà ancienne de mon génial éditeur, à rassembler mes articles épars sur le golf, je découvris mon jeu en bien petite forme. J'ignore ce qui n'allait plus : l'âge, peut-être ? Depuis quelques années, je songe avec inquiétude à un article de Gary Player soulignant la *nécessité absolue*, pour le golfeur qui prend de l'âge, d'apprendre à jouer en draw. Hélas, je montre pour ma part une nette tendance au fade ; tout au plus arrivais-je à jouer une bonne balle haute et droite. Là-dessus, une pro me donna ce conseil relatif au draw : orienter le club vers le centre du fairway, mais, au moment du swing, chercher le côté droit. Le truc marcha bien durant quelques parcours de vacances en Floride, quand je n'avais que mon épouse pour témoin ; mais, de retour aux froidures du nord et devant une assistance moins acquise, il devint la garantie du fiasco. Je me mis à toper mes balles, avec pour résultat des drives qui passaient à peine les soixante-dix mètres. Mes bois de fairway s'avéraient tout aussi calamiteux et la discordance s'étendit bientôt au sac entier : j'expédiais mes petites approches de l'autre côté du green, je frappais mes fers un peu partout, sauf sur le sweetspot, et j'en arrivais à lever les yeux même sur un putt. Je ne signais plus un seul score en accord avec mon modeste handicap, dix-huit. Dans mes accès de désespoir nocturne, je couchais sur le papier, comme une liste de fiancées qui ont fini par en épouser un autre, tous les trucs qui, autrefois, avaient marché pour moi, par exemple :

1. relâcher son grip
2. le coude droit collé au corps
3. monter en un seul geste
4. dérouler le swing
5. amorcer la descente avec le talon gauche
6. les poignets toujours armés
7. ne pas chercher à « fouetter »
8. ne pas lever les yeux
9. penser « *shwooo* »

Même quand mon jeu ne se montrait pas tout à fait abominable, il lui manquait ce *je-ne-sais-quoi* de l'année précédente. Le trou qui termine mon parcours local est un joli petit par 4 que, dans mes bons jours, je jouais par un drive, suivi d'un fer 7 pour passer le bunker transversal qui défend le green. Je frappai un bon drive – mon meilleur de la journée – pour me placer au-delà du marqueur des 130 mètres, de sept ou huit mètres selon mon estimation. Comme une petite brise me soufflait au visage, pour être sûr de franchir le bunker, je choisis un fer 5, mon club pour les 130 mètres. Le lie était en pente, je me tenais un peu en dessous de la balle. Il me sembla que je la frappais bien au centre. « Superbe ! » s'écria mon partenaire tandis que le petit point s'élevait dans l'air pour fuser vers le drapeau. Mais sous nos yeux, la balle, au lieu de rebondir sur le green, alla s'abîmer dans le bunker. J'étais trop court. Je n'arrivais plus à couvrir 130 malheureux mètres avec un fer 5. Un peu plus tôt ce même été, je m'étais fait examiner par un nouveau médecin ; mon ancien généraliste, qui m'avait suivi durant quarante ans, venait de prendre sa retraite – bien qu'il fût à peine plus âgé que moi. A la demande de l'infirmière, je me mis en chaussettes et je sautai sur la toise. « Un mètre quatre-vingt-un », annonça-t-elle et, me voyant préoccupé, elle ajouta poliment : « C'est bien ça ? » Toute ma vie d'adulte, j'avais mesuré un mètre quatre-vingt-trois, ni plus ni moins. Je me voyais comme un homme d'un mètre quatre-vingt-trois capable de couvrir 130 mètres au fer 5. Dans toutes mes dimensions, *je rapetissais.*

Mon amour du golf touchait à ses généreuses mesures ; j'aimais me sentir, l'espace d'un moment, un géant dans un royaume plus grand que nature. Si mon golf devait se limiter, comme je l'avais vu pour d'autres, à une mesquine affaire – rotation d'épaules arthritiques, drives à ras de terre qui allaient trottiner quelques mètres plus loin –, je préférais raccrocher tout de suite. La relecture de ces écrits, dont le plus ancien remonte à 1958, prit alors pour moi l'amère saveur d'un discours d'adieu. Sous cette comédie de récriminations bouillonnait un courant souterrain d'espoir, le rêve de lendemains qui chantent, où le swing s'exprimera dans toute sa pureté. Mais cette *chose* que Rabbit Angstrom découvre dans le premier de ses matches – décrits ci-après –, cette splendeur qui fleurit d'elle-même à partir d'un bon swing, cela ne m'apparaissait plus que comme une chimère de jeunesse. Mon histoire d'amour avec le golf se révélait sans issue. J'avais les bras trop longs, le caractère trop impatient, aucun sens de l'alignement... Je m'éveillais enfin de mon rêve golfique.

L'été semblait se réduire à une succession infinie de matches obligatoires et, au fil des semaines, le soupçon m'envahit que le golf m'avait volé ma vie. Cette flamme dure comme le diamant que j'aurais dû, en tant qu'artiste, cultiver, les vertes vapeurs d'un passe-temps narcotique en avaient eu raison. Ce tranchant qui, chez d'autres hommes de plume, s'émousse à force de whisky ou de compromissions hollywoodiennes, je l'avais perdu en rêveries sur la pronation, le déplacement du poids, la cassure des poignets, la flexion des genoux. Vint un tournoi membres-invités bourré de monde. Le foursome qui nous précédait ne se décidant à putter qu'après des délibérations salomoniennes, nous nous retrouvions à devoir patienter sur presque tous nos coups : je me pris alors à réfléchir que, si je ne pouvais pas vraiment regretter tout le *temps perdu* – dont les heures cumulées se comptaient en années – à jouer moi-même, j'étais en droit de déplorer le temps passé à regarder d'autres jouer. Leurs préparations tatillonnes, leurs exhortations prévisibles, cette arrogance un peu embarrassée avec laquelle ils reproduisaient un swing hideux, persistant dans les mêmes erreurs qui affligeaient leur golf depuis des années... comment avais-je pu voir dans tout cela une sorte de paradis ? C'était, à l'évidence, un enfer calqué sur celui de Dante : des cercles de pécheurs à jamais figés dans l'agonie de tourments mérités. A force d'errer parmi ces cercles, tout au long de cet infernal été (lequel ne connut pas un nuage, pas une ondée miséricordieuse), il m'arriva de me mesurer, de temps à autre, à des passionnés qui avaient su se forger un swing solide, régulier, victorieux. Mais tandis que, le sourire aux lèvres, ceux-ci nous infligeaient une raclée sans appel, moi et le partenaire que j'avais entraîné au désastre par mon incompétence criminelle, je mesurais le prix de leur excellence : une obsession totale ; des épouses et des êtres chers négligés sans scrupule ; des carrières sabordées à la moindre occasion ; toute pensée, toute idée non golfique chassée vers les marges desséchées de leur cortex. Quant à moi, j'avais reculé devant le prix à payer ; j'avais trahi le dieu jaloux du golf en cherchant ailleurs mon plaisir et mes succès, refusant de placer tous mes œufs dans le même panier. Eh bien, l'heure du jugement avait sonné. « Ainsi, parce que tu es tiède et que tu n'es ni froid ni bouillant, je vais te vomir de ma bouche » : Apocalypse, III-16, pour débutants confirmés.

Les trente textes qu'on va lire, témoignages d'une dévotion passionnée mais imparfaite, couvrent plusieurs genres et ont paru dans des endroits très divers – parfois fort éloignés du fairway littéraire, tel le magazine de Rupert Murdoch *Meetings & Conventions* ou le *Massachusetts Golfer.* Depuis 1984, *Golf Digest* publie une contribution annuelle de ma part, écrite du point de vue de l'amateur que je suis. Plusieurs tournois (l'U.S. Amateur Championship en 1982, l'Open féminin de l'USGA en 1984, l'Open de l'USGA en 1988) m'ont aussi demandé de petites contributions et, flatté, j'ai accepté. Le *New Yorker* a bien voulu faire paraître, au fil des ans, un certain nombre de *jeux d'esprit* inspirés par le golf ; le regretté William Shawn, homme d'une surnaturelle omniscience et rédacteur en chef du *New Yorker,* sut aussi dénicher, dans les piles de livres qui mendiaient l'attention de son magazine, un authentique joyau du golf, sur lequel il me demanda une critique : il s'agissait de *Golf in the Kingdom,* de Michael Murphy. De mon œuvre de fiction, j'ai extrait certains chapitres ou passages centrés sur le jeu, notamment trois parcours avec Harry Angstrom dans leur texte intégral. J'ai omis d'autres saynètes – notamment l'ouverture de ma nouvelle *Death of Distant Friends.* Je n'ai pas retenu non plus, le plus long des articles que j'ai écrits sur le golf, un compte rendu du Masters 1979 pour le magazine *Golf,* qui me semblait trop centré sur l'actualité et désormais dépassé. On pourra le trouver dans mon recueil *Hugging the Shore.* Un autre de mes recueils, *Picked-Up Pieces,* abrite un autre compte rendu daté : c'est celui d'un imaginaire tournoi lunaire, inspiré par le fameux fer 6 que l'astronaute Alan Shepard joua sur la Lune en 1971. Les dates figurant dans le sommaire renvoient à l'année de rédaction qui est aussi, à de rares exceptions près, celle de publication. Douze des pièces qu'on va lire ont déjà paru dans d'autres livres de moi ; je m'en sentirais plus coupable si je n'imaginais pas que le lecteur idéal de *Rêves de golf* était trop occupé à perfectionner son swing pour avoir le temps de s'immerger dans mon œuvre.

J.U.

APPRENTISSAGES

Rêves golfiques

Ils se glissent dans l'esprit du dormeur comme l'hiver se glisse dans le paysage, fermant d'un pan de glace les trous convoités, silhouettant sous la neige le contour des fairways.

Je me tiens sur un tee bien fourni, les membres du foursome où je joue l'été sont là eux aussi – mais je ne distingue pas les visages, leurs traits restent fuyants –, m'apprêtant à jouer mon drive. Le fairway que j'affronte est un léger dogleg à droite, étroitement bordé d'arbres, des conifères surtout. Après mon waggle, comme je lève les yeux pour repérer une fois de plus ma ligne de tir, de nouvelles complications s'imposent : dans l'espace au-dessus du fairway s'entrelacent les feuilles et les arceaux d'une tonnelle, une vigne je crois ; quant au terrain, tout à l'heure en pente douce, il s'étage maintenant en bordées de haies. J'accueille néanmoins ces difficultés nouvelles avec calme ; je m'efforce d'en tenir compte dans mon swing, lequel est résolument souhaité mais jamais effectué, car je m'éveille à l'instant où le club est à son apogée, attendant que mon flanc gauche lui donne la force de catapulter la balle vers le minuscule pan de bleu qui s'ouvre dans le foisonnement des feuilles.

C'est l'une des caractéristiques du golf onirique que le coup ne baisse jamais en difficulté : au contraire, il semble fondre à chaque seconde pour révéler un noyau de difficulté croissante. Ainsi une balle, que le golfeur estime se trouver à un fer 7 du green, va-t-elle se transformer, pendant qu'il évalue la distance, en un cylindre (rouleau de pièces de monnaie, tube de cachets). Le rêveur swingue néanmoins et, en même temps qu'il swingue, il s'aperçoit que le club qu'il tient en mains comporte à son extrémité un embout de caoutchouc, un petit tampon de caoutchouc rouge de la couleur d'un tampon de béquille, mais plus mou. Le caoutchouc se déforme au contact de la « balle cylindrique », lui imprimant une impulsion négligeable, cependant que celle-ci s'avère tomber dans une mince rigole, sans doute en rapport avec l'arrosage automatique. Chose étrange, le rêveur ne perd nullement espoir de réussir son coup : dans ce cas précis, par exemple, je crois me rappeler avoir obtenu, sur le deuxième ou troisième swing, un toucher bien franc, et m'être dirigé, à grands pas enthousiastes, dans la direction du vol présumé.

Au fond, ces cauchemars sont-ils bien pires que certains coups rencontrés dans le monde « réel » ? Le drive qui jaillit de la pointe du club rebondit contre le marqueur de tee et va s'engloutir dans l'herbe à quelque vingt mètres *derrière* le joueur horrifié...

L'impuissance magique du coup dans le vide... Cette bizarre comédie de la physique par laquelle un slice monte percuter le seul câble téléphonique sur un kilomètre carré... Le golfeur a une telle habitude de l'humiliation que son esprit, en rêve, ne proteste jamais contre l'improbable. Si la vie onirique constitue, paraît-il, une caricature thérapeutique de la vie réelle, le golf onirique n'est jamais qu'un golf pratiqué sur un parcours différent. Nous jouons des chips sur des guéridons de verre en visant des escaliers roulants ; nous swinguons en smoking à travers des amas de toiles d'araignée ; mais nous nous éveillons sans le moindre sentiment d'injustice, regrettant seulement de ne pas avoir pu finir la partie, et déplorant aussi que l'un de nos compagnons spectraux ait gardé la carte de score dans sa poche.

La belle compagne qui dort à notre côté a eu elle aussi son rêve golfique, non sans une touche féministe. Débutante acharnée, elle nous confie à l'aube : « Je jouais avec des hommes, je ne sais pas qui c'était, mais ils s'obstinaient à taper des bois chaque fois que nous arrivions sur le green, alors évidemment leurs balles partaient à des kilomètres et ils étaient obligés de les ramener vers le drapeau. Moi, je me suis dit : *Ils ne se servent pas du bon club*, j'ai sorti mon putter et, bien sûr, je n'arrêtais pas de les battre !

– Ils ne te voyaient pas faire, ils ne t'imitaient pas ?

– Non, ils n'avaient pas l'air de comprendre et tu penses bien que je n'allais pas le leur dire. Je gagnais tout le temps, c'était magnifique », insiste-t-elle.

Nous nous contemplons de part et d'autre des

oreillers blancs, dans la lumière matinale que filtrent les glaçons qui pendent à la fenêtre. Nous comprenons alors que ce n'était qu'un rêve. Et notre faim de greens, insatiable, resurgit de plus belle.

Boire à la tasse sans effort

(Suite à un manuel de trop sur la pratique du golf)

Lors des conférences que je donne partout dans le pays, je me vois souvent poser cette question : « Et vous, vous est-il jamais arrivé de briser une tasse ? » Bien sûr que oui. Qu'on ne vous raconte pas d'histoires à ce sujet : tout amateur de porcelaine chinoise, quel que soit le degré de maîtrise auquel il atteint, a eu son lot de nappes souillées, de genoux ébouillantés. Aucun être humain ne possède la faculté innée de boire à la tasse avec succès : il suffit de tenter l'expérience avec un nourrisson pour s'en assurer. Ceux d'entre nous qui affichent aujourd'hui une certaine habileté dans cet exercice ne l'ont gagnée qu'au prix d'un travail inlassable ; sans ces heures et ces heures de mise en application, jamais notre élégance et notre équilibre naturels n'auraient pu se muer en *talent.* Je n'irais pas jusqu'à dire que tout le monde est doté à la naissance de dispositions équivalentes ; mais j'affirme que n'importe qui, quelle que soit sa maladresse, peut réduire ses accidents à un minimum qui fera l'admiration de sa femme et de ses amis. Il lui suffira pour cela d'appliquer avec rigueur une poignée de principes très simples, que j'ai moi-même découverts au terme d'un pénible apprentissage par l'erreur. Ces principes eussent-ils été disponibles sous forme écrite dans ma jeunesse que j'aurais atteint mon éminence actuelle des années plus tôt.

Mon analyse distingue trois étapes dans l'art de boire à la tasse : (I) La réception, (II) La pause refroidissement, et (III) L'ingestion. Gardez toutefois à l'esprit que ces trois « compartiments » se succèdent sans heurts en une même action, tout empreinte de fluidité et d'harmonie sociale.

I. La réception

(1) On vous remet la tasse : placez-vous en position d'adresse en vous tenant assis bien droit, le buste perpendiculaire au bras tendu de la dispensatrice, ou l'« hôtesse ». Même si cette personne se trouve être votre épouse ou une parente proche, évitez tout avachissement qui orienterait le plan frontal de votre cage thoracique en oblique par rapport à la ligne d'approche de la tasse. Une telle attitude, quand bien même elle témoignerait d'une décontraction de bon aloi, offre un inévitable inconvénient : vous auriez alors l'impression que l'un de vos bras est plus court que l'autre, handicap fatal en cet instant décisif où surviennent trente pour cent des erreurs communes. Règle d'or : *les deux mains doivent aller simultanément vers la soucoupe.*

(2) A l'acquisition, commencez par effleurer, le plus délicatement possible, l'extrême bord de la soucoupe avec le coussinet situé sous votre index droit (gauchers, attention : lisez toutes ces phrases à l'envers). Une fraction de seconde plus tard (sept centièmes environ), la première phalange du majeur, se glissant sous la face cachée de la soucoupe et progressant vers le centre, se conjugue avec l'extrémité du pouce dans un geste de « pincée » préhensile. *Ce mouvement doit avoir lieu.* Les deux doigts restants de la main droite accompagneront par force le majeur, mais ils ne devraient pas exercer tout de suite de pression, malgré leur impulsion naturelle à le faire. Le poignet se trouvera plutôt en légère supination, entraînant les deux doigts passifs sous la soucoupe tandis que, dans le même mouvement, la tasse est tractée vers le corps d'un avant-bras ferme, mais serein.

Pendant ce temps, la main gauche ne se tourne pas – pour ainsi dire – les pouces : les doigts et le pouce gauche refermés en une sorte de « cuiller » (une ligne imaginaire tirée entre les deux phalanges doit passer par votre pied), la main gauche rôdera, convexe sans se crisper pour autant en un poing, à deux ou trois centimètres (choisissez la distance qui vous semblera la plus naturelle) du bord interne gauche de la soucoupe. Quelle est l'utilité de ce geste ? Nombre de débutants, n'ayant pas reçu de réponse adéquate à cette question, gardent leur main gauche dans leur poche, convaincus de montrer par là de la décontraction. Ils se trompent : ils ne montrent que leur sottise. La main gauche, dans son rôle d'« escorte », remplit plusieurs emplois. En premier lieu, sa proximité avec la main droite donne confiance à cette dernière et diminue sa peur. D'autre part, l'index et le majeur sont maintenant en position de jaillir pour réduire au silence le phénomène angoissant, mais hélas répandu, du « cliquètement de tasse », dût-il se manifester. En troisième lieu, si la cuiller, de par son centre de gravité excentrique, se met à glisser de la soucoupe, la main gauche sera là pour la prendre au piège. Enfin, si le pire survient et que la tasse se renverse, la main gauche peut accourir à la rescousse et sauver ce qui reste à l'être dans le désastre – désastre dont les développements ultérieurs nous entraînent sur le terrain psychologique abordé dans mon chapitre : « L'erreur est humaine. »

Tout au long de l'opération, surveillez le bord de la tasse, sur toute sa circonférence.

(3) La soucoupe est tenue de la main droite, l'« exécutante ». La gauche, l'« ange gardien », la suit dans le vide à quelques centimètres de distance. Un napperon – le « terrain d'atterrissage » – s'est trouvé au préalable étalé sur votre genou droit. *Maintenant*, en douceur, *comprimez*. J'entends par là l'opération suivante : dans un seul et même élan, rabattez les avant-bras sur les flancs, pliez la colonne vertébrale en avant, courbez la tête et touchez vos genoux. Sans que vous ayez seulement besoin d'y penser, cet enchaînement d'actions fera descendre l'ensemble tasse-soucoupe selon une parabole dont l'équation,

en coordonnées cartésiennes, s'exprime par $2x = y^2$. A la position $x = 0$, le thé reposera sur votre genou. Votre main gauche aura rejoint automatiquement la droite sous la soucoupe et, tout aussi automatiquement, se sera éloignée. Vous vous apercevrez que vos cuisses sont devenues des supports planes et fermes. Pour la première fois depuis que votre index a effleuré le glacis de la porcelaine, vous pouvez vous permettre un sourire.

II. La pause refroidissement

(1) La clé de cette phase – la plus longue des trois en termes de durée – réside dans *l'immobilité*. Seuls les doigts, les paupières et la langue remuent un tant soit peu. Restez résolument courbé au-dessus de la tasse ; imaginez-vous que vous « couvez » le breuvage. Que votre immobilité soit placide, végétale, olympienne plutôt que rigide, électrique et byzantine. Montrez-vous réservé mais aimable dans la conversation. Certains de mes collègues pros recommandent aux débutants de ne pas parler du tout, mais une telle mise à l'écart risque en elle-même de se montrer perturbante. Gardez-vous cependant de toute anecdote appelant une animation faciale ou autre, aussi bien que des propositions dont la structure logique doive être soulignée par une action des mains, qu'il s'agisse de dessiner des schémas dans l'air ou d'énumérer des points sur ses doigts.

(2) Résistez à la tentation, une fois que la soucoupe

semble en sûreté, de vous redresser sur la chaise (ou pire, le canapé), ce qui aurait pour conséquence de placer une longue hypoténuse diagonale entre votre nez et la tasse. Toute hauteur sera ressentie *à travers tout le corps.* La dignité de la contenance ne peut *en aucun cas* se substituer au contrôle musculaire. On ne vous tiendra pas rigueur d'une position voûtée, obséquieuse et attentive pour autant que vous saurez lever les yeux sur votre hôtesse dans le respect des convenances. Le haussement de sourcil exigé par ce coup d'œil prête même à nombre de personnes un charme malicieux qui leur ferait sinon défaut.

(3) Tournez la partie concave de la cuiller – *surtout pas* le manche – dans le liquide. Ne faites pas d'éclaboussures. Ne vous perdez pas dans la contemplation fascinée des rides que créent les gouttes individuelles. Ne tentez pas de reverser le liquide de la soucoupe dans la tasse. *Restez tranquille.*

III. L'ingestion

J'entends nombre de mes lecteurs s'interroger : « Diable, est-ce que j'arriverai un jour à goûter ce breuvage ?

– Oui, voudrais-je leur répondre, à plus forte raison si vous avez suivi mes conseils jusqu'ici. » Si j'ai détaillé la procédure avec tant de minutie, c'est pour le motif suivant : parvenu à ce point sans avoir commis de gaffe, vous vous sentez « vierge » et vous aurez le nerf de continuer. Le succès appelle le succès. Si je me trompe, voyez le chapitre intitulé « Il y a loin de la coupe aux lèvres ».

(1) Le liquide ne fume plus et vous êtes certain qu'il a refroidi. Reposez la cuiller sur la soucoupe tout en la maintenant du pouce gauche. Assurez-vous d'un coup d'œil que personne ne s'apprête à vous bousculer, fût-ce par plaisanterie ou par accident. L'action physique de porter la nourriture à sa bouche est si ancienne, si fondamentale chez l'Homme, que la décrire en détail ne serait ici que remplissage. La seule opération délicate qui nous reste consiste en la Séparation de la Tasse et de la Soucoupe.

(2) Les deux attitudes extrémistes – laisser la soucoupe sur le genou ou bien la lever, avec la tasse, jusqu'au menton – sont trop viles pour qu'on s'abaisse à les dénoncer, bien que j'aie vu se pratiquer l'une et l'autre en société. En fait, la question se résoudra d'elle-même si, contrairement à l'instinct premier, vous prenez la soucoupe de la main *gauche*, gardant la droite pour saisir l'anse de la tasse. L'une et l'autre main commencent leur ascension de concert, mais l'écart des forces ne tarde pas à les départager : dans la puissante mais subtile traction de la main droite, la tasse poursuit son envolée jusqu'aux lèvres, tandis que la main gauche vient mourir à la hauteur du sternum où la soucoupe, solidement appuyée contre votre cravate, remplira l'office d'un bavoir implicite.

(3) Gardez à l'esprit que, à mesure que vous consommerez le breuvage, la tasse va s'alléger ; sans quoi la main droite risque de l'expédier d'un seul coup par-dessus votre épaule. Ne vous accrochez

jamais à une tasse vide. *Débarrassez-vous-en.* En reposant l'ensemble tasse-soucoupe sur le guéridon ou le plateau sans doute mis à votre disposition, un audacieux tintement n'est pas à redouter, s'il peut retentir sans violence. Sitôt que vous aurez les mains libres, exhalez un soupir en déclarant : « C'était délicieux », ou encore : « J'en avais bien besoin. »

Félicitations. Vous venez de boire à la tasse.

Appendice : conseils utiles

1. Ne soyez pas tendu.
2. Ne soyez pas « relâché ».
3. Ne vous considérez pas comme un assemblage d'articulations reliées entre elles par d'inflexibles barreaux de calcium, mais comme un animal souple et ductile, capable de chaleur, d'astuce et d'ambition.
4. Pensez au complexe tasse-soucoupe, depuis l'instant où on le remet en vos mains jusqu'à celui où il les quitte, comme à un pupille qu'on vous aurait confié et vis-à-vis duquel vous éprouveriez les sentiments maternels évoqués ci-dessus (II.1). Imaginez-vous que vous lui chantez une berceuse ; que vous retrouvez, dans ses traits, une ressemblance héréditaire, etc.
5. L'angle que forment les avant-bras ne devrait *jamais* excéder 110 degrés ni tomber au-dessous de 72 degrés, à supposer que la température de la pièce soit inférieure à celle du corps. Si tel n'est pas le cas, référez-vous à mon autre ouvrage, *Boire à la paille : éléments de base.*

A propos d'un trip

On m'a demandé * d'écrire sur le golf en tant que hobby. Mais il va de soi que le golf n'a rien d'un hobby : un hobby s'exerce à la cave, dans des odeurs de colle à maquette. Le golf ne se destine pas pour autant, quoique certains le tirent dans ce sens, à être une profession ou un plaisir. De fait, il n'y a peut-être pas de spectacle plus odieux, sur un parcours, que celui d'un foursome abreuvé de bière, en promenade, et qui semble bien s'amuser. Certains golfeurs, dit-on, profitent du paysage ; mais au vrai, ce paysage se rétrécit aux dimensions d'un petit carré d'herbe d'une verdeur surréaliste, celui qu'on a sous les yeux tandis qu'on marche d'un pas amer vers l'endroit où l'on pense avoir expédié sa balle. Comme le dit un vieil adage écossais : « Ne te soucie pas de plus d'herbe qu'il n'en faudra pour couvrir ta tombe. » Si ce n'est pas un travail ni un divertissement, s'il relève plus de la peine que du plaisir mais n'est ni l'un ni

---

* *The New York Times Book Review*, été 1973.

l'autre en essence, qu'est-ce donc que le golf ? Par chance, un terme nouvellement frappé vient ici résonner sur le Formica de nos incertitudes. Le golf est un *trip.*

Hallucinogène non chimique, le golf disloque le corps humain en un groupe d'éléments si bizarrement distendus, unis par des liens si ténus, avec pourtant de petits éclairs d'hyperlucidité et d'effort excessif, mais aussi des vertiges aveuglants et une sorte d'euphorie cartilagineuse – bref, le golf transforme à ce point la représentation du corps que la vérité elle-même semble s'y manifester, crevant l'étoffe exacerbée (et, pour ainsi dire, démasquée) de la réalité ordinaire.

On installe une balle extrêmement petite à bonne distance de sa figure, puis l'on se fait remettre un bâton d'argent dont l'extrémité a subi d'étranges déformations ; cependant que bourdonne dans la tête de l'officiant tout un essaim de « conseils » qu'il se remémore vaguement. Tommy Armour recommande de frapper la balle de la main droite. Ben Hogan suggère de la pousser du pied droit. Selon Arnold Palmer, il ne faut pas bouger la tête. Arnold Palmer a mis des schémas de mains dans son livre. Ne surtout pas lever le talon gauche, explique Gary Player. Un cercle blanc isole son talon sur l'image. Dick Aultman préconise les angles droits, même entre le pied droit et la ligne de vol. Son livre regorge de beaux schémas où il tire des lignes droites le long des poignets : cela évoque les repères que pourrait tracer un menuisier sur le bois qu'il rabote. Mindy Blake, dans son propre ouvrage, explique que l'approche « par angles droits » ne constitue qu'une phase de transition vers un stance dans lequel les deux pieds pointent vers le trou et où, au sommet de la montée, l'angle entre le bras gauche et la ligne de vol mesure quatorze degrés. Ni treize ni quinze : quatorze degrés. Jack Nicklaus, un homme de grande taille, recommande de se tourner vers la balle sans intention particulière. Hogan et Player, hommes de petite taille, montrent tout un tas de flèches de torsion au niveau des hanches. Player conseille de passer l'épaule droite sous le menton. Quelqu'un d'autre, de compter deux phalanges de la main gauche à l'adresse. Quelqu'un d'autre encore, de ne laisser paraître *aucune* phalange. Sans parler des genoux, de la face de club qui peut être ouverte ou fermée au sommet du backswing, du flanc droit passif, de comment « s'asseoir vers la balle », de regarder la balle de l'œil gauche – autant de points décisifs.

Si étrange que cela puisse paraître, le déplaisant paragraphe ci-dessus m'a plongé dans un tel état d'excitation que j'ai couru au jardin jouer quelques coups, quand bien même il faisait si sombre que l'on n'apercevait que les jonquilles. Il est étrange que le golf se traduise si bien en mots. Les nouvelles que Wodehouse lui a consacrées me réjouissaient bien avant que je ne touche mon premier club. Les récits mythiques du golf – le Grand Slam de Jones, la victoire de Vardon sur J.H. Taylor à Muirfield en 1896, celle de Palmer sur Mike Souchak à Cherry Hills en 1960 – sont toujours passionnants, tout comme une anecdote sur un bûcheron fini. Par exemple :

Un jour, la tête farcie de considérations anatomico-aéronautiques qui n'avaient rien à voir avec les balles que je frappais, je pris une leçon auprès d'un pro. « Mettez votre poids sur le talon droit, me dit-il, puis sur le pied gauche. – C'est tout ? demandai-je. – C'est tout. – Et la pronation des poignets ? Et l'angle du plan de swing par rapport à la rotation des hanches ? – Oubliez tout ça », me dit-il. Ironiquement, afin d'exposer toute la vanité de l'ordre, j'obéis, tels les six cents entrant dans la vallée de la mort *. La balle jaillit en claquant, fusa droite comme un câble et retomba au loin dans une extase d'effet rétro. Quelques semaines durant, fort de cette recommandation absurde, j'arpentai les parcours d'un pas de géant, sortant les pars à la chaîne, humiliant mes amis. Mais je ne parvins jamais à m'expliquer cette faculté nouvelle. Je ne l'avais pas *intégrée*. Une région immense et semi-circulaire, transparente, mystérieuse, anesthésiée, surplombait l'exercice monotone du déplacement de poids. Toute richesse s'était enfuie de mon jeu. Si bien que, graduellement, j'en revins à mes leçons, j'oubliai mes pieds, j'opérai un

---

* « En avant, brigade légère ! »
Y eut-il un homme désespéré ?
Non que le soldat ne comprît pas
Que quelqu'un s'était trompé.
Mais ils n'avaient pas à répondre,
Ils n'avaient pas à demander pourquoi.
Ils n'avaient qu'à faire et mourir.
Et dans la vallée de la mort,
S'avancèrent les six cents.

Alfred, Lord Tennyson
La Charge de la brigade légère.

certain nombre d'ajustements calculés, et je ramenai mon swing à son originelle et fascinante *terribilità*.

Cette histoire vous a plu ? Laissez-moi vous en dire une autre : le plus beau coup de ma vie. Cela se passait il y a des années, sur un petit dogleg à gauche, en pente. Les pommiers étaient en fleur ; ou bien, les érables roussissaient, je ne me rappelle plus. Je jouai un drive assez calamiteux qui, après quelques sauts d'oiseau blessé, alla finir dans le grand rough au décrochage du dogleg. Mon deuxième coup, un fer 9 au grip trop crispé, déplaça un grand volume d'herbe. Le troisième, un swing plus souple sur des genoux bien fléchis, ramena la balle de deux mètres sur le fairway. Le lie était en pente. A ce stade, la distance au green était peut-être de 190 mètres. Je choisis, bien entendu, un bois 3. Le lie en pente se compliquait d'une pente latérale. Je tâchai de me rappeler une recette pour les pentes latérales ; c'était ou bien (1) jouer la balle en avant du stance, avec un stance ouvert, ou bien (2) jouer la balle en retrait du stance, avec un stance fermé, ou encore (3) une combinaison quelconque. Je me décidai pour un compromis : je swinguai les coudes au corps et vite, je levai les yeux pour voir comment cela se passait. Un divot de la taille d'un maillot de corps fut levé à une cinquantaine de centimètres de la balle ; laquelle, perplexe, s'ébranla sur quelques centimètres. *Et maintenant, mon grand coup.* Absolument fou de rage, je swinguai en homme qui débite à la hache un cageot d'oranges, pour en faire du bois d'allumage. Il y eut un sifflement ovale ; et la balle éberluée, saisie d'amour, bondit au-dessus du fairway, s'incurvant vers le green dans un soupçon de fade, toucha la bordure, ne rebondit pas, repartit habilement vers le drapeau et s'arrêta à soixante centimètres du trou. Je rentrai mon putt pour signer ce que mon partenaire qualifia de « six remarquable ».

Nul doute que, dans cette expérience mystique, une profonde révélation sur la nature du golf me fut offerte, mais je n'ai jamais été capable de la comprendre ni de renouveler ce coup. A vrai dire, les deux seuls conseils que j'ai trouvés systématiquement utiles sont les suivants. Le premier (de Jack Nicklaus) : sur les longs putts, s'imaginer qu'on putte sur la moitié de la distance pour laisser la balle finir seule sa course. Le deuxième (je ne sais plus d'où je le tiens : de la bande dessinée *Mac Divot* ?) : au chipping, pour ne pas sous-évaluer la puissance, imaginer qu'on jette la balle sur le green de la main droite.

Sans cela, même si, de temps à autre, une balle décolle de la face de mon fer 7 dans un agréable bruit de déchirure – fermeture Éclair qu'on ouvrirait à travers l'espace –, et s'engloutit dans le trou comme une goutte dans un puits ; et quoique, parfois, un drive vire gentiment en draw au tournant du fairway pour disparaître, roulant encore, derrière les applaudissements du tourniquet d'arrosage, ces choses surviennent malgré moi, et non à cause de moi. Sur le parcours comme nulle part ailleurs, la tyrannie de la causalité se suspend, et la vie passe comme un rêve.

Le pro

J'en suis à ma quatre cent douzième leçon de golf, mon drive souffre toujours de ce petit décrochage en push sur la fin et mes fers lèvent toujours le divot du mauvais côté de la balle. Mon pro est un homme morose et hâlé, dans les trente-huit ans, quatre-vingt-dix kilos peut-être. Lorsqu'il prend un club de sa main gantée et qu'il le fait siffler nerveusement (car il s'énerve invariablement après vingt minutes de leçon), on a l'impression qu'il manie une plume, un fétu, une baguette. J'ai retiré un jour son bois 3 du sac et la tête pesait plus lourd qu'un boulet. « En douceur, monsieur Wallace », me répète-t-il. Je ne m'appelle pas Wallace, mais il donne à tous ses clients un nom générique et recevable. Je l'appelle Dave.

« En douceur, monsieur Wallace. La balle ne va pas s'en aller toute seule, alors pourquoi se presser ?

– Je compte bien la foutre en l'air, cette saloperie. » Il m'a fallu deux cents leçons pour arriver à ce degré de franchise.

« Vous vous êtes encore affaissé, poursuit-il d'un

ton égal. Votre épaule gauche, là, elle s'affaisse et puis, vous bloquez les genoux. Vous étiez trop nerveux. Faites-moi jouer ces genoux, monsieur Wallace.

– Je ne peux pas. Je pense tout le temps à mes poignets. J'ai peur de ne pas arriver à la pronation. »

J'ai dit cela pour le faire rire, mais il ne sourit pas. « Faites jouer vos genoux, monsieur Wallace. Ne pensez plus aux poignets. Regardez-moi. » Il s'empare alors de mon fer 5, un spectacle si saisissant que j'en ai le souffle coupé. C'est un peu comme l'instant où, dans les films de notre enfance (ô enfance bénie !), King Kong ou le gigantesque Cyclope soulève au-dessus de sa tête la blonde starlette – qui, par chance, s'est évanouie – et la blonde starlette en perd toute pesanteur, elle n'est plus qu'air, splendeur, émotion. J'en raffole, je défaille de plaisir à le voir soulever mon club, je voudrais le lui avouer mais je ne m'y résous pas. Au bout de quatre cent onze leçons, je me réprime encore.

« Les mains ne peuvent que suivre, dit-il, si les genoux sont en place. » Puis il donne un petit coup de club, avec tant de décontraction que je crois d'abord qu'il écarte une abeille de la surface de la balle. On entend un claquement innocent ; la balle siffle et file en droite ligne, comme suivant le bord d'une règle d'acier, rêve un moment, suspendue dans son apogée lointain, et vient se poser comme un flocon vingt mètres au-delà du ramasseur.

« Splendide, Dave, dis-je avec une affectation de camaraderie, mais le ventre brûlant de crainte et d'admiration.

– Un peu gras, mais c'est l'idée. Vous m'avez vu grogner, ou bien peiner sur le coup ?

– Non, Dave. » C'est notre litanie.

« Vous m'avez vu tourner la tête, me figer au sommet de la levée, basculer en avant sur mes orteils ?

– Non, Dave, non.

– Alors, où est le problème ? Bon, montrez-moi un peu. »

Je prends mon stance et je lève le club, doucement, lentement ; au sommet, mes yeux s'embrument, mes articulations plongent et tourbillonnent comme un vol d'hirondelles. Je swingue. Il se produit une stérile commotion de poussière et de caoutchouc à mes pieds. Je me hâte de dire : « Une gratte. » Après un certain nombre de leçons, la terminologie devient une seconde nature. Tout le processus, tel que je le comprends, réside dans l'auto-analyse. Le pro n'est tout juste qu'un catalyseur, un échantillon aléatoire, ai-je lu quelque part, dans la grande hotte de l'humanité.

Il s'obstine à porter un ridicule couvre-chef d'où sa grande silhouette brune, pour ainsi dire, découle : les épaules affaissées, les bras pendants, le ventre un peu ballant, les genoux pliés – tout cela converge vers ses chaussures, des idéaux de belles pompes, solides comme des briques, noires et blanches, piquées de coutures baroques, ornées de petites franges, armées de crampons aussi nets que des dents d'alligator. Il me regarde presque avec intérêt. Ses iris d'un vert gazon sont minuscules, amenuisés par des années de concentration sur la balle. « Relâchez-vous », me dit-il. Je l'adore, j'étouffe de reconnaissance quand il daigne se montrer directif. « Faites quelques swings d'essai, monsieur Wallace. Vous aviez l'air d'un pantin rouillé sur le dernier coup. Écoutez-moi. Le golf se joue sans effort.

– Je n'ai peut-être pas d'aptitude. » Je rougis, je glousse, j'essaie de l'avoir à l'humilité.

Il ne marche pas. Impassible, il poursuit : « Vous avez un joli swing. Quand il se montre. » Il a cette façon de m'exalter et de me rabaisser d'une phrase à l'autre. « Vous vous repliez sur vous-même, poursuit-il. Vous ne vous ouvrez pas à votre potentiel. Vous n'êtes pas *libre*, comme on dit.

– Je sais, je sais. C'est bien pour cela que je me ruine en leçons.

– Swinguez, monsieur Wallace. Montrez-moi votre swing. »

Je swingue, et les impuretés m'apparaissent aussi clairement que des bulles et des déformations dans le verre : backswing hâtif, trop de main droite à l'impact, finish pas assez haut.

Le pro retire son gant. « Venez avec moi sur le green du dix-huit. » Je crois tout d'abord que nous allons répéter mon chipping (un mouvement de pendule contrôlé, mais détendu) pour la quinzième fois, mais il me dit : « Allongez-vous. »

Le green est ferme mais élastique. L'équipe d'entretien s'est appliquée à l'arroser cet été, durant la longue sécheresse. Je ne m'étais pas allongé ainsi depuis l'enfance, sur une herbe douce et bien égale, les yeux fixés sur un arbre, branche après branche, chaque feuille distincte des autres malgré sa forme générique comme quand, à l'école élémentaire, nous les pressions dans nos herbiers. L'arbre est un érable à sucre. Tout ce temps passé à jouer près de lui, et je n'avais pas remarqué que c'était un érable. En automne, on ne tape pas un seul putt sans devoir écarter des feuilles mortes de sa ligne. Ce printemps, quand une dentelle de bourgeons dorés saupoudrait les branches, j'ai balancé un fer 9 à travers son faîte et je m'en suis tiré avec un double bogey.

Derrière moi, au-dessus de ma tête, la voix du pro, plus douce que dans mon souvenir, garde un crissant qui me berce, comme des grains de sucre qui refusent de fondre. « Monsieur Wallace, dites-moi à quoi vous pensez quand vous vous immobilisez au sommet de la montée.

– Je pense à mon coup. Je vois la balle partir droit sur le drapeau, toucher à moins de deux mètres, freiner avec un tas d'effet rétro, mourir dans le trou. Exclamation de la foule, tonnerre d'applaudissements.

– Qui y a-t-il dans la foule ? Des gens que vous connaissez ?

– Non... Attendez. Si, il y a quelqu'un que je connais. C'est ma mère. Elle brandit un périscope en carton et elle s'écrie : *Superbe, Billy.*

– Elle vous appelle Billy.

– C'est mon nom, Dave. William, Willy, Billy, Bill. Laissons tomber cette routine du M. Wallace : vous m'appelez Bill, je vous appelle Dave. » Il est plus facile de lui parler, au pro, à présent qu'on ne soutient plus sa mélancolie puissante et dépassionnée, qu'on ne voit plus ses mains (l'une nue, l'autre gantée) faire d'un club une brindille.

« Il y a d'autres personnes ? Votre femme ? Vos gosses ?

– Non, ma femme est allée reconduire la baby-sitter. La plupart des gosses sont en colo.

– Qu'est-ce que vous voyez d'autre au sommet de la montée ?

– Je me vois lâcher les leçons. » C'est sorti d'un coup, *fuiit*, avant que j'aie eu le temps de me censurer. Le silence règne dans le dôme feuillu qui me surplombe. Un étourneau sautille de branche en branche ; on dirait un crayon qui relie entre eux des points numérotés, comme dans les jeux de notre enfance.

Enfin le pro grogne, ce qui, comme je l'ai dit, ne lui arrive jamais. « A votre dernier parcours, monsieur Wallace, qu'est-ce que vous avez marqué ?

– Vous voulez dire, la dernière fois que j'ai compté ?

– Mmh.

– Cent huit. Mais j'ai eu de la chance sur plusieurs putts.

– Mmh. Vous devriez vous lever. Sous une pression prolongée, le green risque d'attraper des champignons. Cette herbe-là, c'est l'enfer à entretenir. » Une fois que je me suis relevé, il me dévisage et, après un bref éclat de rire, lance à un invisible serviteur :

« Cent huit, avec en plus de la chance sur les putts, et il veut lâcher les leçons. »

J'implore : « Pas pour toujours... Le temps de prendre des vacances. Laissez-moi essayer d'autres parcours. Sortir un peu, vous comprenez. A la rigueur un parcours public. Je ne sais pas, même un practice, histoire de taper un bon seau de balles. Vous comprenez, apprendre à faire avec le jeu que j'ai. Profiter de la vie. »

Sa noble impassibilité est gagnée par un frémissement, une scintillation d'humour. Ses traits hâlés s'adoucissent, un sourire naît sur ses lèvres, la trace d'une fossette paraît sur sa joue. « Le golf, c'est la vie », dit-il doucement, puis ses yeux verts s'agrandissent, « ... et la vie, ce sont des leçons », les bosses de ses muscles bruns se fondent avec les buttes et les dépressions du parcours, dont les drapeaux rouges étoilent l'horizon lointain et dont les bunkers les plus minces sont indiscernables des galaxies. Et je vois qu'il a raison, comme toujours, et sur toute la ligne ; il n'y a pas de vie, pas de monde au-delà du parcours – rien qu'une chute infinie et terrible. « Si je ne vous donne pas de leçons, poursuit le pro, comment voulez-vous que je paye les miennes ?

– Parce que vous aussi, vous prenez des leçons ?

– Bien sûr. Quand je suis stressé, je pars en hook. Comme Palmer. Je force. S'il y a du rough sur la gauche, vous pouvez être sûr qu'il est pour moi. Vous, vous n'avez pas ce problème, avec votre joli slice en push. »

J'ose à peine lui demander : « Vous voulez dire que,

dans un certain sens, c'est aussi *vous* qui avez besoin de *moi* ? »

Il me pose la main sur l'épaule, une main pâlie par le port du gant, et sous ce toucher je deviens plume, je prends une grâce aérienne. « Monsieur Wallace, me dit-il, j'ai beaucoup appris de votre joli swing. Je suis toujours triste de voir la demi-heure se terminer, comme maintenant.

– Mardi prochain, onze heures trente ? »

Mon pro hoche solennellement la tête. « On reverra votre chipping. Ici, dans l'ombre. »

Pensées sur le swing

« Frappe avec le dos de la main gauche » : telle fut ma première pensée sur le swing que m'inculqua – d'une voix péremptoire, mais non sans bienveillance – l'épouse de mon oncle, laquelle venait tout juste de déposer un club dans mes mains virginales. J'avais alors vingt-cinq ans. Je sortais d'une enfance passée au cloître d'un quartier de classes moyennes ; le golf y comptait parmi les rumeurs sur les riches, à l'instar des petits déjeuners au champagne ou du divorce. Je n'avais jamais tenu un club auparavant, jamais je ne m'étais intéressé au dos de ma main gauche. J'y réfléchis donc de toutes mes forces et j'arrachai un divot monumental au gazon de ma tante.

Comment ne pas trouver charme et intérêt à un sport dont les instructions de base montrent un goût si pervers pour le paradoxe ? Frapper vers le bas pour faire monter la balle. Rester souple au swing pour qu'elle aille plus loin. Bien lever au finish pour qu'elle file droit. J'ai lu Arnold Palmer, qui recommandait de penser à ses pieds et à sa tête comme aux trois sommets d'un triangle rigide. Que les pieds deviennent des briques, conseillait-il, sans préciser ce que la tête, elle, devenait. Jack Nicklaus plaçait de grands espoirs sur une légère torsion de la tête à droite durant la montée, en sorte d'aligner inexorablement l'œil gauche avec la balle. Gary Player préférait penser à un barreau de métal qui aurait traversé son corps par le milieu ; il se tordait tout autour de cet axe comme un poulet sur une broche verticale. Hale Irwin a récemment déclaré qu'il voit ses mains et son club descendre une cascade imaginaire. Sam Snead pense au tempo de la valse ; il s'imagine gifler l'arrière de la balle comme s'il lui donnait la fessée ; il ajoute que, lors du swing, il ressent ses bras comme des cordes. Lee Trevino préconisait, dans un récent entretien télévisé, une accélération du dos de la main gauche qui viserait la cible en passant au travers de la balle – ce qui me ramène à mon point de départ, trente années d'épreuves plus tôt.

J'écris sans doute en médiocre golfeur, venu au jeu sur le tard et d'une coordination défaillante. Mais ils sont des millions comme moi, qui grattent et topent dans leurs brumes heureuses – le mot *golf* n'est jamais que *flog** épelé à l'envers – si bien que ces pensées sur les pensées du swing éclaireront peut-être un peu ces ténèbres extérieures qui bordent les tournois télévisés, où d'impassibles blonds cisèlent des fers 4 à 180 mètres, droit sur le drapeau.

---

* *Flog* : en anglais, flageller, éreinter. *(N.d.T.)*

La faute de base du mauvais joueur est l'anxiété, qui le pousse à frapper depuis le sommet, trop vite et avec trop de main droite (dans le cas d'un droitier). Craignant de perdre le contact avec la terre, il gardera son poids sur la jambe droite et bloquera prudemment les genoux. Comme il appréhende le résultat, il regarde, relève la tête une fraction de seconde trop tôt et frappe la balle comme au moyen d'une tapette à mouches ou d'une binette. Toute recette permettant de restreindre cette anxiété est utile ; en voici une qui a bien marché pour moi, quoique je l'aie oubliée des étés durant : *Commencer la descente le plus lentement possible.* Cela permet de garder la tête braquée sur la balle ; cela décourage aussi le coude droit de s'écarter pour imprimer au club une poussée supplémentaire et contre-productive. Cela laisse enfin plus de temps au déplacement de poids pour se produire et retarde le déblocage des poignets. Toutes sortes de recommandations intérieures cherchent ce même but : commencer la descente comme si l'on tirait sur une corde, imaginer que le club tombe depuis le sommet, commencer par tirer ou faire glisser la hanche gauche vers la cible. Tout est bon pour empêcher ces mains anxieuses de bondir sur la balle.

Le coude droit est l'homme de main de l'anxiété. Les conseils visant à le garder près du corps sont légion. Herbert Warren Wind écrit, de la grande Joyce Wethered, que son coude droit semblait caresser son flanc durant la descente. *Pas d'aile de poulet,* me répétait un vieux partenaire. Reste que, puisque l'on n'a le temps que d'une, voire deux pensées dans la poignée de secondes que dure un swing, on répugne à les investir dans une considération négative, voire une tarte à la crème anatomique. Pour ma part, j'ai toujours découvert peu payantes à terme les réflexions touchant à des endroits du corps incongrus, par exemple *Fais glisser ton genou droit vers le trou,* ou encore *Passe une épaule, puis l'autre sous ton menton,* voire *Au finish, appuie ta tempe droite contre un oreiller imaginaire.* Toutes ces choses doivent se produire ; mais les préméditer laisse aux bras et aux mains trop de place pour l'erreur, tout en renforçant notre impression d'être un fragile assemblage de pièces détachées dont chacune pourrait aller de travers.

Ce même ami conseillait encore : *Lance tes mains vers le trou* – ce qui, si étonnant que cela puisse paraître, amène bel et bien les mains devant la tête de club en déplacement et, pour peu que le grip ne se déforme pas, expédie la balle vers le trou. Une fois que le swing a commencé, une seconde pensée doit lui permettre de poursuivre, car seul un swing exécuté tout le long, *à travers la balle,* donne un résultat séduisant. La Gestalt chercherait à exprimer les complications peu naturelles du swing dans un quelconque mouvement instinctif. Tout le monde arrive à *lancer* un club sans réfléchir, avec le déplacement de poids convenable. Je me rappelle avoir passé un après-midi de rêve à frapper des bombes rectilignes en m'imaginant que je jetais mon driver vers le trou, au travers de la balle. Mais quand je réessayai ce truc la fois suivante, je me mis à gratter trente centimètres derrière mon tee.

J'essayai quelque temps de faire abstraction de mon corps et d'imaginer seulement la face de club au contact de la balle. Cela ne marchait pas trop mal : quand on se concentre sur la face de son wedge, les mains et le poids sont bien amenés en avant et, en général, on évite les frappes en pointe. Mais cette pensée si spécifique introduit de nouvelles contraintes dans une situation où les contraintes abondent déjà. La pensée de swing idéale affranchit de ses trépidations le corps du golfeur et lui laisse, dans une certaine mesure, sa liberté de mouvement. *Tourne le dos* était une directive simple qui, quand je la gardais en mémoire, créait au moins de la torsion au sommet du swing. Tu es un homme de caoutchouc, me répétais-je – pas ce caoutchouc dont on fait les élastiques, mais une substance plus dure, mais encore souple, un pneu par exemple. Ou bien, transcendant complètement l'anatomie, j'imaginais le parcours comme une succession non pas de fairways étroits et de greens défendus, mais de dépressions généreuses, de vastes zones d'atterrissage dont il me suffisait de prendre la « direction générale » pour réussir pleinement mon coup. Ce truc s'avérait particulièrement efficace pour les bois de fairway.

La difficulté est que toute pensée sur le swing finit, comme le radium, par se décomposer. Ce qui incendiait le parcours du mercredi s'est mué en plomb le dimanche. Et cependant, rien ne sert de faire le vide dans son esprit : la terrible démesure du parcours s'engouffrera dans l'abîme et la balle, devenue folle, bondira dans tous les sens. La pensée du swing est, pour le golfeur, l'équivalent de la devise de l'alpiniste : *Ne pas regarder en bas.* En nous concentrant sur le détail, nous réduisons l'espace gigantesque des potentialités d'erreur à un rayon somatique acceptable. Le score, les enjeux, les bières au club-house... Tout cela devrait être repoussé par une quelconque pensée de swing – ce qui, en soi, est déjà une pensée de swing.

Ces fameux putts d'un mètre

La saison de golf télévisé, en 1994, s'ouvrit sur un duel inattendu entre deux monstres sacrés des années 70 : Johnny Miller et Tom Watson, aux prises pour la première place de l'AT&T Classic, autrefois le Crosby Invitational. La partie semblait acquise pour Watson, très à son aise dans les bourrasques de Pebble Beach où il avait remporté son dernier Open : il avait deux coups d'avance à quatre trous de la fin. Mais sur les greens du seize et du dix-sept, Watson dépassa le trou et, à chaque fois, il manqua le putt de retour sur une distance d'un mètre à peine. Miller, dont le putting n'était pourtant pas infaillible, fit le par et l'emporta d'un coup.

Le spectateur ne pouvait que compatir aux épreuves de Watson. Combien de fois, quand il n'aurait suffi que de deux putts pour conclure un triomphe, n'avons-nous pas connu la même mésaventure ! La balle qui s'élance bravement vers le trou, le manque d'un cheveu, puis – oh, non ! – prend la pente et s'en va, trop loin pour un tap-in, trop loin pour un gimme... Adversaires et partenaires, dans un silence lourd de menace, nous laissent alors marcher, d'un pas ferme et viril, à ce « putt immanquable » qui nous attend. On affecte un petit sourire débonnaire, comme pour dire : « Simple formalité. » Mais l'estomac s'est noué tout d'un coup et, tandis que l'on prend son stance, la ligne du putt se tord en tous sens, tel un serpent sur une plaque de verre ; en un mot, elle nous échappe. Le putt serait-il plus court qu'il suffirait de pousser la balle au fond du trou ; plus long que la pente apparaîtrait clairement. Mais dans cet entre-deux désespérant, tous les systèmes s'effondrent. Le dénouement classique nous fera viser le bord droit, frapper un rien trop fort, pour voir la balle, dans un effrayant ralenti, virer le long du bord, cependant que partenaires gémissent et qu'adversaires échangent un clin d'œil. Ou bien, pour donner une variante à ce scénario, nous viserons le plein milieu, frapperons un coup prudent, et la balle de dériver à gauche sur les quinze derniers centimètres.

Le golf se montre rarement plus haïssable qu'en de tels instants. On voudrait être mort ; on voudrait, à tout le moins, être à son bureau, où l'homme a droit à quelque considération. Un slice ou un hook au drive témoigne d'une certaine grandeur dans l'échec ; un fer topé peut se rejouer, d'un air sinistre, un peu plus loin sur le fairway ; un chip raté n'est pas exempt d'une suave ironie. Mais il n'y a rien d'amusant ni de noble dans un putt facile qui refuse d'entrer dans le trou, à plus forte raison quand l'issue du match (voir le cas Watson-Miller) en dépend. Aucune excuse d'ordre athlétique ne nous dédouanera : l'épreuve ne portait que sur notre sang-froid et notre lucidité, et la sanction est sans appel.

Au fond, peut-être ne s'agissait-il pas d'un putt facile. Les seuls putts faciles que je connaisse couronnent un triple bogey, quand le trou est déjà perdu. Le secret de ces putts d'un mètre, avec la pression qu'ils supposent, consiste peut-être à se dire que le trou *est déjà perdu* et qu'on ne les joue que pour la forme. Il y a certes des jours où ces putts ne présentent aucun problème : la ligne est évidente, le coup d'une simplicité biblique. Si les choses vont de travers c'est, en général, que nous nous sommes compliqué la vie – plus précisément, que nous avons surestimé la pente. A moins que la pente latérale ne soit vraiment prononcée, il est sans doute inutile de viser loin du bord. Surtout, jouez ferme : le putt doit avoir la force de franchir au moins trente centimètres. Il peut être utile aussi d'oublier que la cible est un trou : j'ai connu parfois d'heureux succès en imaginant que je visais une boîte d'allumettes ou un paquet de cigarettes posé au bord du trou.

L'œil est un organe vital au putting ; d'où cette considération primordiale qui, hélas, ne s'est trouvée que rarement abordée : sur quoi le joueur qui putte doit-il fixer son attention ? Bobby Locke, que beaucoup tiennent pour un maître absolu dans cet art hermétique, recommande de regarder *l'arrière* de la balle, comme si l'on comptait y enfoncer une punaise : dans mon expérience, ce truc aboutit à un coup net et rectiligne, mais souvent un peu trop fort. On se sent

« derrière » la cible, deux ou trois centimètres plus loin qu'on ne se trouve en fait. Des années durant, j'ai suivi le conseil suivant de Jack Nicklaus : je choisissais un brin d'herbe situé trois ou quatre centimètres devant la balle et je m'efforçais de la faire rouler dessus. Cela donne un excellent toucher, un très bon alignement sur le trou, mais le fait de ne pas avoir les yeux sur l'objet que je frappais me mettait mal à l'aise. Il m'arrive aussi d'imaginer un triangle rectangle, mon pied gauche, portant l'essentiel de mon poids, posé sur un des côtés, le putter s'écartant le long de l'autre et la balle posée au sommet, prête à prolonger, un peu comme un trait de plume, l'hypoténuse. L'image peut paraître compliquée, mais elle permet de placer correctement son poids et assure que la balle parte en ligne droite.

Le putting est le parent malade du golf. Il n'est qu'à voir à quelles extrémités recourent certains remèdes qu'on lui administre : le putting de Bernhard Langer, où c'est la main gauche qui coince le manche contre l'avant-bras droit ; et Ken Green, accroupi sur les cinquante-cinq centimètres du putter de son fils ; et Bob Lohr, qui ne putte que d'une main. J'ai joué avec un homme qui, après avoir installé sa tête de putter derrière la balle, jouait son coup les yeux rivés sur le trou. Le truc marchait bien pour lui, mais cela nous terrorisa ; il nous semblait jouer devant l'œil vide d'un zombie.

Représentation est le maître mot : un putt qu'on ne se figure pas n'est pas près de rentrer. Mais quel tableau, quel enchevêtrement cubiste que cette image que nous nous efforçons de peindre, selon trois dimensions dont les axes se déplacent chaque fois qu'on bouge la tête ! Si seulement, à l'instar des grenouilles, nous avions la possibilité de contempler à la fois la balle et le trou ! Il suffit de baisser les yeux sur la sphère blanche pour oublier l'emplacement du trou : telle une étoile derrière un rideau de brume, il ne brille plus que par à-coups ; le green lui-même tangue comme le pont d'un navire par gros temps. Cela peut aider, ai-je remarqué, et particulièrement sur les greens, d'imaginer l'herbe rase qu'on a sous les pieds comme un plan immobile, pour se projeter en esprit dans la course de la balle sur cette surface : il s'agit en quelque sorte de *devenir* la balle, d'en vivre par la pensée le petit voyage linéaire.

Jusqu'à une cinquantaine de centimètres, le putt se livre tout entier à l'œil : balle, trou, la ligne entre les deux. Mais au-delà de cette longueur, le trou disparaît de la vision périphérique et le putt d'un mètre risque d'échouer parce que le golfeur, cherchant inconsciemment à élargir son champ de vision, bouge la tête. Représentez-vous mentalement la ligne, puis gardez la tête immobile ; agissez comme si vous aviez à jouer un putt de cinquante mètres. Épargnez-vous aussi les vastes horizons de pensées périphériques du genre : *Si seulement je n'avais pas forcé mon dernier putt,* ou bien : *Si seulement je m'étais rappelé que le grain va vers la mer,* ou encore : *Si je rate celui-là, nous serons dans une situation semblable au dormie, mais à l'envers,* voire : *Si je rate, Johnny Miller gagne le tournoi, à lui tous les articles et les abonnements gratuits...* Le golf se joue un coup à la fois ; un coup *serein* à la fois. Dans notre impatience à voir le résultat, nous avons tendance à assassiner les petits putts, d'un seul geste nerveux et suicidaire. Tout comme le drive, le putt comporte deux moments : en arrière et en avant, scandés par une pause.

Tenez le putter d'une main légère, en sorte de pouvoir imprimer de l'élan et de la direction par un swing bien fluide ; accompagnez la balle sur une distance égale à celle du backswing. Une fois la ligne décidée, frappez comme pour un putt droit et laissez la pente corriger la trajectoire. Vous devez avoir la sensation que la tête de club évolue juste au-dessus de l'herbe, que la balle adhère à cette même surface dans un parcours assujetti aux lois de la gravité. Mettez-vous au défi de *devoir rentrer* ce putt ; les habitués du bogey tombent dans un fatalisme des deux putts qui finit par en appeler trois.

Ces limpides recommandations viennent aisément sous ma plume mais, le putter en main, j'ai tendance à me contracter. Rester debout sur une pelouse et river ses yeux, un mètre cinquante plus bas, sur une sphère alvéolée qui n'est guère plus grosse qu'eux, voilà de quoi donner le vertige. Un jour, sur l'imposant parcours du Country Club de Brookline, et en compagnie de trois golfeurs poids lourd, je me débrouillai pour manquer un putt qui n'était pas plus long qu'une chaussure de grande taille. Je n'effleurai même pas le bord. Il s'agissait, comme me l'expliqua aimablement mon partenaire sur le chemin du tee suivant, « du plus merdeux des putts » qu'il eût jamais vus.

« C'est un jeu où chaque centimètre compte », ne pus-je que répondre.

La panique est un des aspects du golf pour lequel j'ai montré dès le début un talent inné. Qu'il y ait la plus petite occasion de décevoir mon camp tout en anéantissant mon score et je la saisirai à bras-le-corps. « Je compte sur toi, mon vieux ! », voilà un cri de ralliement assuré de me faire jouer un swing de brute pour envoyer la balle tressauter dans l'herbe. « Rappelle-toi qu'ici, tu as un point à prendre » paralyse aussitôt mes articulations comme une bourrasque sibérienne.

Il semble que je signe mes meilleurs parcours quand je joue contre un seul adversaire, une personne que je connais de longue date ; la compétition reste simple et amicale, il est plus facile de maintenir un rythme. En foursome, je me débrouille mieux lorsque mon partenaire brille avec une rassurante constance et que mes adversaires souffrent d'un handicap physique. Le mal de dos, les genoux et les mains arthritiques, l'emphysème, les verres à double foyer qu'on vient d'acheter, les grains de sable qui s'immiscent sous les lentilles de contact, voilà quelques-unes des afflictions qui, chez les autres, me mettent à l'aise et me permettent de swinguer, selon la recommandation de Sam Snead, à quatre-vingt-cinq pour cent de ma force. Que se présente un match équitable et j'essaye aussitôt de swinguer à cent cinq pour cent. Le golf est un sport où un flux soudain d'adrénaline fait plus de mal que de bien, provoquant, au niveau professionnel, des approches qui volent au-dessus du green ou des putts d'approche qui dépassent le trou à toute allure. Johnny Miller, interrogé après avoir remporté l'AT&T, expliqua, d'un air mi-hébété, mi-amusé, qu'il n'avait jamais pensé pouvoir l'emporter ; peut-être Watson, à l'instant crucial, se trouva-t-il survolté par l'idée inverse : qu'il pouvait gagner.

La saison 1994 se poursuivant, les pros ont démontré plus d'une fois que ces maudits putts d'un mètre n'ont rien de facile. Le même Tom Watson, au British Open, vit s'effondrer un score honnête quand il dépassa le trou à plusieurs reprises sur cette distance. Helen Alfredsson mena quelque temps lors de l'U.S. Women's Open avant de perdre son avance par une remarquable accumulation de tels ratés, parmi lesquels ce fameux cauchemar du putt d'un mètre en descente *qui devient un autre putt d'un mètre,* putt que l'on manque une fois de plus. Si, au niveau professionnel, ce sont les putts de trois à quatre mètres qui font les birdies, la réussite aux putts d'un mètre conjure les bogeys. A n'importe quel niveau, l'échec répété sur de tels putts est assuré d'assombrir une belle journée et de faire d'un beau score une catastrophe.

Gare au gimme

L'objet du gimme, tel que je le comprends, est d'épargner au joueur le temps et la peine d'avoir à jouer un tap-in et de se pencher ensuite (c'est là le plus difficile) pour reprendre sa balle. Parfait. Mais où finit le tap-in, et où commence le putt qui peut être manqué ? On peut même manquer un putt de cinq centimètres, des pros tels que Hale Irwin en ont donné la preuve *, et on ne peut certes pas dire d'un putt de trente centimètres, sur un green glissant et avec une pente latérale, qu'il est rentré d'avance. On avait l'habitude autrefois de donner le coup quand il « tombait dans le cuir » : à cette époque, les putters étaient munis d'un grip en cuir d'une longueur sensiblement équivalente. Mais je crois déceler aujourd'hui, si je me fonde sur les parties accommodantes que je joue avec un trio de crapules, une érosion de la modération d'autrefois par la notion fallacieuse

---

* A Birkdale, durant le British Open 1983, Irwin perdit le tournoi d'un coup.

que *n'importe quel putt* peut être considéré comme immanquable.

Exemple n° 1 : M. Noir, qui en est à trois coups, joue un putt d'approche plutôt calamiteux qui le laisse à un bon pas du trou. S'il rentre sa balle au coup suivant, il en sera à cinq. Son partenaire, M. Blanc, rentre un putt d'un mètre pour signer un cinq. « Donc, peu importe », conclut M. Noir qui se donne le putt et se marque pour cinq coups.

Exemple n° 2 : Sur le green suivant, le putt de M. Bleu – de l'équipe adverse – finit à soixante centimètres du trou. S'il le rentre, il en sera à quatre, à égalité avec M. Noir. M. Bleu lève un œil innocent et déclare : « Nous vous avons donné plus long sur le trou d'avant. » M. Noir, s'enrôlant dans la généreuse conspiration, répond : « Allez-y, prenez-le. » Et M. Bleu fait le par.

Exemple n° 3 : Au trou suivant, on rivalise en bogeys. Les Blanc-Noir tiennent leur cinq. M. Vert, qui en est à trois, demande à son partenaire, M. Bleu, de putter pour le bogey, en sorte de trouver au moins l'égalité. Là-dessus, M. Vert tape à toute volée un long putt vers le par et la victoire. Quand la balle finit deux mètres derrière le trou, M. Vert se donne le putt suivant puisque, bien sûr, s'il ne s'était pas battu pour la victoire en équipe, il aurait cherché une approche prudente et rentré sa balle en cinq.

Exemple n° 4 : M. Blanc affronte un putt de cinquante centimètres pour la victoire. Le silence se fait autour de lui. Visiblement indécis, M. Blanc prend son stance en hâte, tape un coup trop sec et brouillon, voit sa balle dépasser le trou et, sans se démonter, annonce : « Attendez, je n'y étais pas vraiment. Je croyais que c'était un gimme. Franchement, c'était un gimme, non ? Regardez, je vais le refaire, pour de bon cette fois. Vous voyez ? Je ne pouvais pas le manquer. »

Exemple n° 5 : Noir et Bleu, à égalité sur le green, ont chacun à jouer un putt d'un mètre environ. Noir propose à Bleu, avec un grand sourire : « On en reste là ? » Le putt de Noir est plus long d'une dizaine de centimètres ; mais Bleu se dit que si Noir le rentre, toute la pression se transportera sur son propre putt : Bleu sera forcé de le rentrer. A supposer qu'il échoue, Noir et Blanc éclateront de rire, Vert poussera un gémissement... « D'accord », concède Bleu, et chacun de ramasser sa balle.

La partie se poursuit sur ce modèle. Chacun montrera trop de politesse et de bienveillance pour ne pas concéder tout ce qui tombe dans les limites d'un bond de kangourou, et les putts qui ne sont pas décisifs pour le score se verront écartés l'un après l'autre. Un golfeur rompu à ces acrobaties mentales, s'il se trouve en obligeante compagnie, peut très bien grâce à ce système signer tout un parcours sans avoir eu à jouer un seul de ces terribles putts courts où se trempe le caractère et sur lesquels on a vu plus d'un pro échouer. Il est vrai que ce ne sont pas des millions qu'on se dispute ici, mais l'enjeu symbolique et amical d'un dollar ; mais ne nous privons-nous pas d'une des grandes satisfactions du golf : le tintement de la balle au fond du trou, qui établit de façon définitive un score humble peut-être, mais honnête ?

J'avoue que j'ai cédé moi aussi aux sirènes du gimme, au point de demander à mon partenaire, pour ne pas me déconsidérer sur un putt d'un mètre, de putter trop loin lui aussi – afin que je puisse me défausser du coup redouté. Je me suis même vu prier pour que mon adversaire réussisse son grand putt, m'épargnant du même coup l'épreuve du putt court que je devais jouer ensuite. *Je veux que mes putts ne comptent pas* : telle devient la devise du joueur, et si ce n'est pas là celle d'un lâche, alors Jack Nicklaus n'a jamais gagné de tournoi. A l'heure de la compétition locale, quand les adversaires ne seront plus M. Bleu ni M. Vert mais le roi du swing, M. Infaillible, et son acolyte procédurier, M. Méchant, le golfeur amolli par son séjour sur les gazons du golf à concessions se délitera comme feuille de laitue au soleil. Le simple silence qui accueillera ce gimme qu'on lui accorde d'habitude lui fera l'effet d'une insulte personnelle, d'un défi hostile. Tout au bouillonnement de ses émotions, il peut fort bien manquer son coup pour se jeter, la tête la première, dans un long après-midi d'humiliation et de méchante adrénaline.

L'adrénaline, quand elle est bien employée, dévore les putts – le plaisir de la ligne qu'on visualise ; le coup ferme, mais judicieux sur le premier centimètre ; l'union passagère de la balle, du grain et de la pente, puis la goulée avide du trou qui engloutit la balle.

Méfiez-vous donc du gimme, mes amis. Je m'efforce

de refuser le gimme si je sais en mon for intérieur que je pourrais manquer le putt. Car si je le réussis, la satisfaction que j'en retire vaut largement l'effort infligé aux lombaires pour se pencher et déloger la balle de sa petite oubliette ; et si jamais j'échoue, eh bien, c'est la loi du jeu, du *vrai* jeu. Le score au golf se montre d'une si réconfortante simplicité que ce serait pitié de le rogner sur les bords et d'éliminer ces passages délicats qui se jouent sur l'herbe la plus courte, avec une subtile finesse qui rappelle le billard, le croquet ou les billes. Ces points épargnés à coups de gimmes seront là pour vous hanter quand la réalité reprendra ses droits. Mais, me direz-vous, les précieuses minutes que le putting consciencieux ajoute au temps de jeu déjà exigeant du golf ? Eh bien, si c'est du temps que vous voulez gagner, n'allez pas au parcours ; contentez-vous de passer au club-house pour présenter les scores que vous auriez marqués si chaque coup avait été un mulligan, un drop sans pénalité ou un gimme.

La question du caddie

Une campagne fait rage en ce moment pour la réintroduction du caddie sur les parcours américains. Partout, dans *Golf Digest* et autres revues, ce ne sont qu'arguments en faveur du projet : la marche, se substituant à la motorisation, profiterait grandement au système cardio-vasculaire des golfeurs vieillissants ; l'herbe des parcours, enfin délivrée des carts électriques, respirerait – c'en serait fini de ces luisantes autoroutes de gazon malade ; les caddies eux-mêmes se porteraient mieux de transporter leurs dix kilos de clubs au lieu d'engloutir des hamburgers au cholestérol chez McDonald's. Et puis, les pros n'ont-ils pas leur caddie ? Où en serait Lee Trevino s'il n'y avait pas ce brave Herman Mitchell pour lui tendre son infaillible wedge ? Que deviendrait Nick Faldo sans la belle – quoique imposante – Fanny Sunneson pour lui murmurer de gentils petits riens à l'oreille, cependant qu'accroupis tous deux, ils étudient la ligne d'un putt ? Où s'exprime mieux l'essence du golf que dans cette impression de liberté qu'on éprouve à descendre un fairway les mains libres, tandis qu'un gaillard plein de taches de rousseur ahane en transportant vos clubs ? Vous voilà tous les deux devant la balle luisante ; s'ensuit un conciliabule laconique, nourri d'une mutuelle estime, au terme duquel émerge du sac un fer 6 à l'impeccable patine – la diligente serviette du caddie a rempli son office tandis que vous marchiez vers la balle. Le jeunot s'abîme dans un silence admiratif, vous fixez d'un œil d'aigle le green lointain, avant d'essayer un ou deux waggles dans une concentration extrême ; et c'est la parfaite musique du swing, le *fuuit* du club suivi, en rythme, du noble *tac* à l'impact. « Oh ! Un coup plein de vaillance, monsieur ! s'extasie le caddie. N'eût été cet excès d'effet rétro, la balle finissait au fond du trou ! »

Cet idyllique tableau n'étouffe cependant pas toute velléité de résistance au caddie, en tout cas pas chez moi. Disons que j'entends pouvoir golfer tranquille. Je n'ai rien contre la présence de mon partenaire ni contre celle de mes adversaires : sans eux, le jeu ne serait plus qu'un entraînement ; mais la présence d'étrangers, jeunes le plus souvent, rompt l'intimité de la partie. Mon golf est fragile. Il dépend tout entier d'un réseau ténu de prières et d'exhortations muettes, de visualisations défaillantes ; il suffit d'une paire d'yeux supplémentaire pour que la pression induite jette à bas cet instable édifice. *A quoi pense le caddie ?* Cette idée me visite sans cesse et finit par chasser toute autre. Sans parler du : *Aïe, ce qu'il doit m'en vouloir !* Sans doute, sur mon dernier bois 3, qui était catastrophique, suis-je tombé au-delà même de son mépris... Je suis hanté par l'idée de lui faire plaisir, à tout le moins de cesser de l'envoyer dans des recherches futiles à travers bois et ronces, où les toxines du sumac vénéneux et de l'inflammation de Lyme menacent à chaque pas sa peau nue ; obsession qui ne tarde pas à se montrer des plus handicapantes, tant est vraie cette maxime magique du golf selon laquelle plus on cherche à bien faire, moins on y parvient.

J'entends les partisans du caddie se récrier : *Voyons, mon vieux, tout ça se passe dans ta tête.* D'accord, mais n'est-ce pas là, précisément, que le golf se pratique : dans la tête ? *Sensiblerie mal placée, narcissisme ! Ton caddie se moque que tu joues bien ou mal.* Dans ce cas, pourquoi s'acharne-t-il à me suivre et à grogner chaque fois que je tope ma balle ? *Expliquons-nous,* rétorquent-ils : *il ne se soucie pas de ton jeu au point que cela doive t'angoisser. Sa bienveillance est détachée, il considère ta partie d'un œil amical, mais sans s'y impliquer ; pour lui, ce n'est qu'un travail.* Je ne vous le fais pas dire. Le golf est à mes yeux, sinon une félicité permanente, du moins un jeu ; et voilà que l'œil d'un gamin me le montre comme un travail – travail duquel je risquerais le renvoi pour incompétence flagrante.

A vrai dire, nombre d'Américains sont mal à l'aise avec les domestiques. Conséquence de notre héritage démocratique, nous nous obstinons à les voir comme des personnes. La noblesse française s'entourait de domestiques pour les moindres détails de sa toilette matinale ; cela ne devenait possible que dans la mesure où ces domestiques n'étaient plus des personnes, mais des dispositifs humains, façonnés pour servir. Non que le golf atteigne le degré d'intimité d'une toilette matinale, mais il hante malgré tout les régions intimes de l'espace humain, quelque part entre l'acte amoureux et l'écriture d'un poème. Imaginez-vous rédiger un poème sous les yeux inquiets d'un gamin en sueur qui vous tendrait un crayon de rechange après chaque mot... Mon golf, objecterez-vous, n'a rien d'un poème. Il n'empêche que je le voudrais ainsi : je rêve d'écrire dans l'espace une série de coups élégants et faciles, que viendraient ponctuer quelques putts frappés d'une main sûre. Il existe une sphère intérieure dans laquelle cette rêverie doit prendre forme ; la bonne blague qu'on lance à son vieux copain de l'autre côté du fairway ne violera pas une telle sphère, mais la présence délétère et incarnée d'un caddie qui vous souffle dans la nuque est une autre affaire.

Du dernier caddie qui m'ait accompagné, j'ai appris, en arpentant le parcours à son côté : (a) que, titulaire d'un diplôme en administration commerciale, il cherchait un emploi sur le marché très bouché du Massachusetts ; (b) qu'il avait passé la nuit à boire et s'était couché vers les trois heures et demie ; (c) que sa petite amie avait lu un de mes livres ; (d) qu'il comptait sur mon partenaire et moi pour gagner le match du jour (c'était un tournoi), en sorte de pouvoir porter nos sacs à nouveau le lendemain et « se faire de la thune » ; (c) qu'il attendait des gages sensiblement supérieurs aux tarifs affichés sur le parcours. Quand je mentionnai le tarif officiel, vingt dollars la partie, il ne put s'empêcher de me rire au nez. En sorte que, sans parler de mes inquiétudes strictement golfiques, j'eus à me soucier de ses perspectives de carrière, de son état de fatigue, de sa gueule de bois, des lectures de sa copine et de son pourboire.

C'est que le pourboire du caddie, dont l'heure sonne tout aussi inéluctablement, mais plus tôt, que celle de votre mort, devient une préoccupation ruineuse. Je n'ai jamais connu de caddie qui, passé l'âge de quatorze ans, ne fasse pas grise mine au moment d'être payé. Jusqu'à quatorze ans, innocent quant aux questions d'argent, il se contentera du plus modeste billet. Mais j'ai pu voir, en Irlande, une meute déchaînée de caddies se jeter sur le responsable de notre séjour de golf, lequel, au péril de sa vie, entendait s'en tenir au pourboire annoncé. Les caddies d'Écosse et d'Irlande n'envisagent pas leur statut comme un préambule à leur carrière. Être caddie, c'est toute leur carrière – carrière qu'ils mènent jour après jour sous un ciel bas et lourd de résignation celtique et de vapeurs alcoolisées. Il suffit de se tenir entre un de ces personnages et le vent pour sentir son putter vaciller. Leurs avis subtils et autorisés paraissent souvent dénués de fondement : ils vous diront que la balle est perdue tandis qu'elle vole encore, vous assureront qu'un putt de douze mètres déviera sur la fin de deux centimètres à gauche. A l'évidence, ils parient entre eux sur les matches qu'ils accompagnent et je me demande si certains de leurs conseils ne visent pas carrément à saboter la partie. On devine pourtant quelque rude sagesse dans ces yeux plissés qui ont vu tant de foursomes américains ou japonais se désespérer entre bunkers et dunes centenaires ; tandis que dans l'œil du caddie américain ne se lit que le morne éclat d'une enfance passée devant un téléviseur. Celui-ci commencera par vous donner un fer 8 pour 140 mètres, comme si vous étiez Fred Couples en personne ; en fin de journée, il vous tendra un fer 3 en vous recommandant de mettre le paquet.

La campagne pour la réacclimatation du caddie américain réussira-t-elle, et ses bénéfices écologiques pourront-ils compenser la déforestation en Amazonie ? Ou bien échouera-t-elle, et les petits carts électriques au bourdonnement si doux, ces petits carts qui n'attendent pas de pourboire et qu'on n'a jamais entendus ricaner, finiront-ils par réduire tous nos parcours, de Pebble Beach jusqu'à Shinnecock Hills, en de stériles déserts ? Affaire à suivre. Pour ma part, tant que mes genoux me porteront, je me chargerai moi-même de mon sac : le golf est une misère qui ne supporte pas nécessairement le partage.

Exercice moral

On peut penser que la plupart des gens disposant du loisir et des ressources pour pratiquer le golf avec assiduité sont parvenus, dans l'existence, à une position plutôt douillette. Il est rare que le cadre supérieur se voie contredire par ses subordonnés ; le juge de paix juge les autres ; l'actrice à la retraite trouve d'enthousiastes critiques chez sa femme de chambre et son troisième époux. La plupart d'entre nous (incluons dans cette douillette catégorie notre auteur sexagénaire), ne sachant mesurer leur réussite dans la vie réelle, supposent qu'ils ne s'en sortent pas si mal. Tout conspire à nous flatter en ce monde ; le golf seul persiste à rendre compte de nos performances avec une cruelle franchise. Il n'y a que sur le parcours que le jugement soit instantané et inlassable. Une remontrance menaçante ne délogera pas la balle du sumac où elle est allée se fourrer ; un euphémisme badin ne la fera pas remonter de l'étang où, pour notre désespoir, elle s'est abîmée. Le putt qui effleure le trou reste un putt perdu, quoi qu'on puisse écrire sur sa carte de score. Le jeu et votre swing vous gratifient d'un feu roulant de critiques contre lequel il n'est pas d'échappatoire. Y a-t-il une autre activité qui sache, en l'espace de quatre heures, accabler le nabab d'un ensemble si varié d'humiliations, abattre la superbe du don Juan par tant de désirs inassouvis ? Le golf est un juge implacable. Dans le bruit de l'impact et l'envol de la balle, son inflexible voix nous dit comment nous nous en sortons, et il est rare que nous nous en sortions bien.

On ne pourra même pas invoquer quelque limite physique. Nous ne sauterons jamais plus haut que Michael Jordan, nous ne pouvons pas espérer battre Monica Seles, mais il nous est arrivé à tous, pourvu que nous jouions depuis quelques années, de frapper deux ou trois coups parfaits – sûrement pas si longs que ceux de John Daly, mais parfaitement centrés, ou bien tout droit sur le drapeau, voire directement dans le trou. Nous avons vu la balle jaillir en sifflant, retomber sur le green, bourrée d'effet rétro – ou sur le fairway, bourrée d'effet avant – et le tout semblait un jeu d'enfant. Alors, pourquoi n'y arrivons-nous pas à tous les coups ? La preuve de notre aptitude physique étant établie, ne reste plus qu'une explication de tempérament. Nous ne pouvons nous départir de ce sentiment : notre mauvais golf atteste la méchanceté de notre nature. Car nous sommes mauvais, corrompus jusqu'à l'os. Socrate, du moins son porte-parole Platon, estimait que connaître le bien, c'est déjà l'exercer. Mais nous, à l'instar des personnages de Dostoïevski, continuons de nous infliger, avec une obstination perverse, les plus grossières erreurs golfiques.

Considérons deux des fautes incorrigibles du bûcheron : vouloir frapper dès le sommet du backswing et lever les yeux. Toutes deux procèdent d'inquiétudes déraisonnables : en premier lieu, la peur que la balle ne s'enfuie si nous attendons encore une fraction de seconde ; et puis, l'angoisse qu'elle se perde si nous gardons les yeux baissés. Les conséquences en sont hideuses : les coups ratés, étouffés, topés, grattés, talonnés, les hooks et les slices se comptent par centaines. L'expérience nous répète, inlassablement, que la tête de club trouve sa vitesse idéale avec des mains au repos, des bras passifs et un lent départ à l'expiration de la montée ; qu'ôter ses yeux de la balle, c'est perdre le contact. Mais quand jaillit l'adrénaline, nos instincts primitifs prennent le dessus, pour notre malheur, sur la sagesse acquise. L'Adam non reconstitué veut tuer sa balle ; il veut la voir s'envoler. Nous perdons ce grain de sénevé de la foi qui conserve au swing sa fluidité et au corps son unité harmonique.

Le bon swing de golf est un enchevêtrement de petits articles de foi dont chacun constitue un défi au bon sens. Quoi de moins naturel que de s'accroupir légèrement vers la balle ? Les genoux fléchis, nous perdons la force que donnent des jambes bien droites. Adopter un grip léger va à l'encontre de tout notre acharnement à soumettre le parcours, fût-ce à coups de marteau. Le décollage, au ras du sol et vers l'intérieur, contredit notre impulsion très indienne à lever le club d'un seul coup et l'abattre comme un tomahawk, en sorte d'expédier la balle jusque dans le comté voisin. Quant au crucial déplacement du poids, qu'on le conçoive comme une poussée sur le pied droit, une torsion de la hanche gauche ou une traction du bras gauche, ainsi qu'on tire la corde d'une cloche, il nous fait l'effet d'un saut dans le vide du haut d'une falaise. Merci bien. Mieux vaudrait rester solidement planté sur le pied droit, loin du rebord de la falaise, et forcer sur les bras pour ramener cette balle de vingt degrés à gauche.

On n'apprend guère des pros que l'on peut voir à la télévision : dans leurs mains, les coups ont l'air trop simples ; ils rappellent de vertigineux graphismes informatiques. Cependant j'ai pu admirer cette année, au cours de l'Atlanta Classic, un coup extraordinaire de Tom Kite. Celui-ci n'avait pas gagné un seul tournoi depuis deux ans, on le disait fini ; et voilà qu'il se retrouvait avec deux coups d'avance. Sur le dix-huit, son drive alla se poser dans le petit rough à droite du fairway. Le dix-huit est un par 5 semé d'obstacles d'eau. Kite passait à la télévision nationale. La pression était terrible, on l'aurait imaginé plus raide qu'un pantin en ces circonstances, et l'on eût pardonné même à un pro de jouer court, de continuer par un chip prudent et de faire un par sans risques pour emporter le tournoi. Mais non : avec ce petit sourire en coin dont il a le secret, Kite tira un bois du sac – un 4, je pense – et balaya sa balle d'un swing superbe qu'il conclut le club pendu dans le dos, le pied dressé sur la pointe comme celui d'une ballerine dans son petit chausson rose. Il y avait dans ce swing une pureté de livre d'images ; non seulement la balle atterrit sur le green, deux cents mètres plus loin, mais elle s'arrêta si près du trou qu'il put rentrer son putt et terminer par un eagle aussi gratuit que magnifique. Après toute une vie passée sur les tournois, son plaisir de jouer restait intact : on le retrouvait dans cette merveilleuse confiance en son swing, cette sainteté dans l'abandon que le golf réclame à ses adeptes.

La plupart d'entre nous ne savent pas s'abandonner, laisser le génie jaillir de la lampe. Nous savons qu'il est là, caché dans nos os et nos muscles, car nous le voyons surgir de temps à autre. Il se montre parfois, nous lui demandons dix mètres de plus sur nos drives, puis il rentre dans sa coquille. Le golf est l'étude de notre avarice aussi bien que de notre manque de foi. En nous rappelant un parcours, nous omettrons le putt manqué de soixante centimètres et l'approche qui, à un cheveu seulement, est allée se perdre dans l'obstacle ; nous les considérerons comme n'étant pas les nôtres, n'appartenant pas légitimement au parcours. En revanche, nous inclurons sans gratitude le wedge topé qui, par extraordinaire, est allé retomber sur le green, le drive qui a rebondi contre le marqueur de limite pour finir en plein centre du fairway. Dans la fièvre de la partie, sur l'étroit treize, vous restez là, à contempler votre fer 7 qui se perd en hook dans les bois ; et vous nourrissez l'intime conviction que ce n'est pas vous qui avez joué ce coup. Ce ne pouvait être qu'un imposteur, un démon, un Martien qui, l'espace d'un instant, a pris le contrôle de votre cerveau. Pourtant, c'était bien vous, et l'une des leçons morales du golf consiste à affronter cette déplaisante vérité. Une autre est d'abdiquer, dans le cadre des honnêtes principes du swing, tout espoir d'une maîtrise absolue ; c'est le swing libre qui produit le coup droit.

La morale du golf débouche sur le paradoxe. Qui frappe en bas verra sa balle monter. Qui lève les yeux topera sa balle dans l'herbe haute. Qui veut frapper trop fort perd de la distance. Qui s'efforce d'imprimer sa volonté à la balle étrangle son putt. « Qui veut sauver sa vie doit commencer par la perdre », conseillait un rabbin. Et Shivas Irons, le pro imaginaire de *Golf in the Kingdom*, le délicieux roman de Michael Murphy : « Que le vide envahisse tes coups. » Ne te donne pas trop de mal, pourrions-nous plus simplement dire. Ou encore : amuse-toi. L'ultime injonction morale du golf est de trouver en nous-mêmes un axe pivotal de plaisir : se détendre, respirer au rythme des buttes et des creux, jouer le coup qui se présente – ni le dernier ni le suivant – mais celui qui gît là, devant tes pieds, dans le sumac où tu es allé fourrer ta balle.

PARTIES

Intercession

Cette nouvelle date de mes débuts dans le golf. On y retrouvera l'innocence de cette lointaine époque non seulement dans les green-fees, qui étaient alors au-dessous du dollar, mais aussi dans ce spectacle surréaliste de trois golfeurs solitaires – trois « onesomes » – espacés sur un parcours public. Le récit souligne cette dimension religieuse qui plane comme une ombre menaçante sur le décor, avec une propension malicieuse aux hallucinations – autant de thématiques qui se retrouveront dans la scène de golf de Cœur de lièvre, *écrit environ un an plus tard. A l'instar de Rabbit, mon jeune héros est ici doublé d'un irritant alter ego, et il a beaucoup à apprendre. Mais pour n'importe quel golfeur débutant, les miracles, rarement bienveillants, sont légion.*

La sécheresse qui accablait, cet été-là, le Connecticut favorisait les illusions. Parmi les orange du paysage d'herbe brûlée, les petits drapeaux rouges se montraient à peine et les greens arrosés faisaient figure de mirages au désert. Des ouvriers refaisaient la chaussée à quelque distance ; échappée du chantier, une poussière couleur de rose allait napper le premier fairway. Un cantonnier adressa de grands signes d'avertissement à Paul. Celui-ci, en retour, rétrograda en seconde ; il fit une queue de poisson à un camion chargé d'une colline pointue d'épaufrures bleues et s'éloigna sur ce régime bruyant.

Il se gara un peu plus loin sur le bas-côté. Se penchant vers le sac emprunté, il l'attrapa par la courroie, d'une main inexperte, en sorte que les clubs, entraînés par leur tête, faillirent se déverser dans les herbes folles de la bordure. Paul débutait au golf ; initié moins de deux semaines plus tôt par l'oncle de sa femme, il s'était efforcé depuis lors de taper chaque jour, sur sa pelouse, quelques balles d'entraînement. Mais les balles, creuses et ajourées, n'allaient pas bien loin et se révélaient vite décevantes. Passé un certain stade, on ne pouvait plus progresser : la moitié des coups filaient tout droit, dans un vague bourdonnement ; le reste partait de travers et allait rouler dans l'herbe. Seul un parcours de golf, où il affronterait de vraies distances au moyen de balles pleines, lui permettrait d'apprécier ses progrès ; ce qui n'avait pas empêché sa femme de prendre un air stupéfait quand, après le déjeuner, il avait jeté le sac de son oncle dans sa voiture et qu'il s'en était allé, l'abandonnant à la maison et à leur fille. Paul était le scénariste d'une bande dessinée paraissant dans les journaux par livraisons régulières, si bien que sa femme était habituée à le voir rester à la maison.

Dans une guérite à bardeaux blancs, au flanc de

laquelle on avait peint, en lettres énormes, l'inscription : *85 cents,* une grosse femme noire méditait, telle une prophétesse, près d'une glacière à sodas d'où s'exhalait avec une particulière âcreté l'odeur chimique de la réfrigération. « Vous êtes tout seul », dit la femme à Paul. Elle lui vendit une carte de score et un crayon. On apercevait, au-dessus de sa tête, deux affiches, clichés stroboscopiques décomposant le swing de Gene Sarazan et celui du Dr Cary Middlecoff. A l'autre mur, un diagramme tracé sur un carton gris exposait les progrès d'un tournoi défunt. Sous le regard de la sibylle, Paul sentit brusquement les contours de son cœur se dessiner comme derrière un pan de verre dépoli. Sitôt qu'il avait à faire quelque chose en public pour la première fois – qu'il s'agît de découper un rôti, de communier, d'acheter un smoking – la façade de son buste devenait ainsi une paroi mince et fragile. Il n'osa pas demander l'emplacement du premier tee ; il contourna la guérite d'un pas hésitant.

A l'angle, il aperçut un homme, à moins de quatre mètres, qui vérifiait son swing avant de regarder l'horizon. Paul courba le dos en guise d'excuse, franchit en trottinant la ligne de drive du joueur et prit cérémonieusement son tour. L'homme avait des taches de rousseur, des cheveux gris acier, de gros sourcils roux qui dépassaient de son front comme des poignées de portière. Un duvet gris foisonnait sur sa nuque en petites touffes soignées, cédant brutalement la place à une casquette de style écossais, à carreaux très chics, munie d'une courte visière qui ne pouvait guère prétendre à protéger ses yeux, sinon en plein midi. Une main gantée, l'autre nue, l'homme maniait un bois d'une pâleur de miel. Paul se demanda pourquoi les blonds étaient si suffisants. Les blondes aussi étaient pareilles ; Paul pouvait leur pardonner, mais pas à ce vieux beau. D'un swing aussi limpide et serein que ce cercle parfait que, dit-on, Giotto traça d'un seul coup de pinceau pour gagner une commission, l'Écossais expédia sa balle loin dans le fairway, où un chip facile lui ouvrirait le green. Le visage devint un masque, l'âme s'était envolée avec la balle. Puis, avec la gentillesse avec laquelle il aurait recapuchonné un faucon, l'homme recouvrit la tête dorée de son club d'un manchon de chamois, reposa le club dans son chariot et s'éloigna.

Paul entreprit quelques swings prudents sur l'aigrette d'un pissenlit. Il s'imagina que montait en lui une puissante quiétude. Au loin, l'Écossais s'apprêtait à jouer son fer. Paul planta un tee blanc dans le carré d'argile. Quand il se redressa, un grand gosse aux bras maigres et bruns se tenait à quelques pas. Bien qu'il n'eût pas remarqué le gosse auparavant, Paul se hâta de dire : « Je crois que tu es avant moi, non ?

– Il me semble. » L'élégance de la diction du gamin se mariait étrangement avec ses chaussures de basket.

« D'accord. Eh bien, passe.

– Si on faisait le parcours ensemble ? »

Paul fut flatté de penser que le gamin lui prêtait à peu près son âge. Il se sentait des envies de jeunesse : à vingt-six ans, il en paraissait vingt-trois et eût aimé en faire dix-huit. « Merci bien, mais tu as intérêt à passer devant. Je suis plutôt catastrophique. »

Il s'était attendu aux protestations qu'un adulte n'eût pas manqué d'exprimer, mais le garçon se contenta de le croire. « D'accord », fit-il en hochant la tête comme un singe. « Merci. » Son tee-shirt, orné d'une inscription défraîchie – « Alsace High School » –, tombait mollement sur ses épaules, comme du linge étendu. Il se mit à l'œuvre ; au-dessus du coude, ses bras ne semblaient guère plus gros que l'os. D'un grand swing relâché, le gosse envoya sa balle en slice, au-dessus de la route, des ouvriers et du nuage rose ; elle alla retomber dans le jardin d'une maison en stuc. « Ils peuvent la garder », ricana-t-il à l'intention de personne, avant de déposer une nouvelle balle sur le tee. Cette fois-ci, il partit en hook et topa sa balle ; elle fila dans l'herbe verte non loin d'un tuyau d'arrosage, se mit à rebondir en arrivant sur une zone desséchée, et se perdit dans une mince rigole de drainage. Paul commençait à regretter de ne pas avoir accepté l'invitation. Le gamin souffla par le nez avec indignation et reprit une balle dans la poche de son sac. A la troisième tentative, le coup partit droit et long.

« Tu ne pouvais pas mieux jouer, avança Paul.

– Bien sûr que si », sourit le gosse avec une condescendance inexprimable. Il examina la performance qu'il venait d'accomplir. « Mais je m'en contenterai.

– Trop aimable.

– De quoi ?

– Rien. »

Mais Paul était irrité au point que, quand son tour arriva, il força son coup. La balle suivit la trajectoire de la deuxième tentative du gamin : à travers l'herbe à gauche, au-dessus de la rigole, et sur le deuxième fairway, qui était parallèle au premier, mais dans l'autre sens. L'élégant Écossais était perché sur le second tee. En traversant, Paul aperçut la silhouette minuscule, se découpant devant les arbres, vérifier son swing.

Jouer seul n'était pas pour le rasséréner. Au contraire, l'absence de tout témoin, sinon l'œil implacable du soleil, le paniquait. Paul se hâtait, quand bien même il n'y avait personne derrière lui. Abandonnant aux fourrés ses balles perdues, il enchaînait avec impatience sur des putts calamiteux. Il se sentait coupable, coupable des plus petites choses : d'avoir abandonné sa femme l'espace de deux heures, de ne pas travailler comme les autres à horaires fixes, d'avoir grandi et de s'être marié, laissant ses parents seuls dans l'Ohio, de se retrouver livré à lui-même dans ce vaste royaume de gazon. L'espace lui-même, que découpaient confusément les horizons multiples et fuyants du parcours vallonné, semblait lourd de remords, écrasait sa balle, l'envoyait voler comme une folle. Ses progrès sur le parcours devinrent un itinéraire chaotique. Le quatrième trou exigeait le survol d'un marais à sec, envahi de broussailles ; le cinquième, dont le tee n'était qu'un tapis de caoutchouc au pied d'un grand arbre, disparaissait derrière une crête dont l'herbe, en l'absence d'ombre, roussissait, compacte et saturée de poussière. Un drapeau d'un rose délavé donnait la direction à viser. Marchant sur les brisées d'un drive médiocre, Paul remarqua, vingt-cinq mètres à droite, un second drapeau rose et, quand il entra dans la petite dépression où on avait planté le green, le drapeau du trou marquait 7. Il avait sauté deux trous. L'approche du cinq se trouvait à sa droite ; l'approche du six devait se trouver entre les deux, sans doute derrière ces sapins. Le collégien, qui droppait une nouvelle balle tous les trois coups, survint *derrière* lui. « Ça se passe bien ?

– Très mal, répondit Paul.

– Idiote », lança le gamin à sa balle qui dépassait le green lointain. Il droppa une autre balle et joua un swing plus attentif, avec plus de succès. Puis il droppa une troisième balle qu'il envoya cette fois à quelques centimètres du trou. « Je te conseille de te tenir à carreau », lui intima-t-il.

Pris en tenaille entre le gosse et l'Écossais, Paul était forcé de continuer. Il avait mal aux mollets. Une ampoule menaçait à son pouce gauche et à force de regarder dans le soleil, il avait mal au crâne. Il n'avait pas escompté que son corps se mît à récriminer ; voici peu, celui-ci l'avait accompagné sans jamais se plaindre, aussi tolérant et infatigable qu'un chien sur ses talons. L'Écossais se mettait en route vers le départ du neuf, une petite ziggourat dressée à l'ombre d'un orme. Paul se laissa choir sur un banc voisin. Il leva les yeux au ciel pour estimer l'heure et remarqua, sur les cirrus brumeux qui environnaient le soleil, le phénomène expliquable, mais troublant, de l'iridescence

– un vague arc-en-ciel circulaire. Du chantier où les machines travaillaient à refaire la route montait un concert de ferraille.

Le gosse le rejoignit. « Vous en êtes à combien ?

– Je n'ai pas compté. J'ai du mal avec les grands nombres.

– Moi, je ne compte jamais sur les neuf premiers. Mon père m'a dit : Ne t'en occupe pas. Occupe-toi seulement d'entrer dans la partie. C'est ce que je fais. » Il fit tournoyer son club, fixa sur un pommier un œil méditatif. « Vous savez combien de trous je joue chaque jour ? Combien, à votre avis ?

– Six, avança Paul.

– Quarante-cinq. Parfois même, cinquante-quatre. Un jour, je suis allé jusqu'à soixante-douze. Et vous, vous en jouez combien ?

– Pratiquement aucun. Je débute. Ces clubs-là ne sont même pas à moi... Je les ai empruntés.

– Vous voulez qu'on fasse les neuf suivants ensemble ? »

La diction précise du gamin, qui avait tant frappé Paul lors de sa précédente invitation, s'était quelque peu relâchée. C'était un gosse joufflu, bronzé, les paupières un peu bouffies ; mais les yeux bruns, mouillés de nervosité, les oreilles en chou-fleur contredisaient la bonhomie du visage. En étudiant ses traits, Paul retrouva ses yeux d'enfant et il s'aperçut alors que son compagnon n'était pas aimé. A cet âge, c'est souvent le cas des crâneurs, mais ils ne savent pas s'arrêter. Il fallait que Paul fût idiot pour ne pas deviner un malheur latent chez un adolescent qui passe ses journées à jouer tout seul au golf comme un banquier à la retraite. Un coup d'œil aux clubs flambant neufs du gamin lui confirma qu'il venait sans doute d'un milieu riche et aimant, de ces milieux dont les enfants chastes, prétentieux, mal-aimés, écument les bibliothèques et les petits restaurants, s'adonnent tout entiers à leurs hobbies et sont toujours dans les nuages.

« D'accord, répondit Paul. Mais je te préviens... je suis vraiment très mauvais. » Il se demanda quel âge pouvait avoir le garçon ; de nos jours, la taille ne voulait plus rien dire. Paul lui aurait donné quinze ans tout au plus ; il avait de gros coudes. Il était manifeste qu'il mourait d'envie de passer le premier et Paul en conclut que ce devait être un avantage.

Le gamin considéra le green du neuf, qui semblait plus proche que la distance indiquée sur le panneau, cent quatre-vingts mètres. « Il faut que je fasse attention, expliqua-t-il. En général, je tape trop fort et je le dépasse. » Il eut beau s'y reprendre à deux fois, cela ne se produisit pas. « Bon, conclut-il, ce n'est pas trop, trop nul. On va voir si vous tenez la route. »

Paul se mit à rire. Une compétition si franche l'émoustillait. C'était un âge ingrat, un âge rude... Paul s'en souvint surtout quand sa balle, partant en slice, alla percuter un pommier et qu'il ne put la retrouver parmi les fruits tombés à terre. Le gamin la dénicha pour lui : « Eh bien, vous parlez d'un œil de lynx ! » Et, se pinçant les narines, il cria à la cantonade : « Peuh ! »

Ils revinrent ensemble au premier tee. Paul avait décidé que le truc consistait à s'imaginer qu'il frappait une balle creuse dans son jardin, comme si de rien n'était. S'il était moins bon que le gosse au drive, il le rejoignait sur les approches et put atteindre le green en trois coups. Dans le même temps, le gosse avait joué plusieurs balles. Soulagé par son honnête performance, Paul se sentit assez en confiance pour avouer : « Si je savais putter, là, je tiendrais mon par. Mais je ne sais pas.

– Montrez-moi ça.

– A toi l'honneur. Je suis le plus proche.

– Non, allez-y. Je veux vous voir rentrer cette balle du premier coup. C'est quoi, votre grip ?

– Rien de spécial, juste un grip.

– Bon, d'accord. Tout ce que vous avez à faire, c'est d'être naturel au swing. Il y a moins de deux mètres. Un môme la rentrerait les yeux fermés. »

Contracté, Paul ne poussa pas assez fort. La pente emporta la balle sur la droite.

« Écoutez, reprit le gosse. Soyez naturel. Vous savez comment je putte, moi ? Eh bien, comme ça : je suis naturel. » Il s'écrasa dans une arabesque et, les mains serrées contre sa ceinture, bascula le club maladroitement. « Après, il n'y a plus qu'à la rentrer, tout naturellement, dit-il. Hop, comme ça. Regardez-moi. Je me plante devant la balle... » A présent, celle de Paul. « ... et je n'ai pas peur du tout. Je regarde le trou, je prends un grip naturel et... hop ! ».

Le gosse s'engagea dans un chemin bordé d'arbres dont les feuilles, saturées de chaleur et d'insectes, tombaient déjà. « J'ai fait deux quatre sur ce trou, annonça-t-il. Et vous ?

– Cinq, j'imagine. Tu as rentré mon putt pour moi.

– Disons cinq.

– Si j'avais rentré mon putt, je tiendrais un quatre, reprit Paul.

– Vous voulez que je vous dise quelques-uns de mes scores ? Trente-trois sur un parcours. Trente-cinq une autre fois. Soixante-douze et soixante-treize le même jour, un le matin et l'autre l'après-midi. Devinez depuis combien de temps je joue ? A votre avis ?

– Sept ans, dit Paul.

– Onze jours.

– Vraiment ? Tu te débrouilles très bien, après onze jours.

– J'aime ça, dit le gosse. Pas autant que la pêche, mais après la pêche, c'est ce que je préfère.

– Tu aimes la pêche ? Tu ne trouves pas que c'est un peu fade ?

– Fade ? Vous rigolez... Il n'y a pas un sport dont ce soit moins vrai.

– Un sport ? Je pensais qu'un sport demande de l'entraînement. A la pêche, on reste tout le temps assis.

– La pêche à la truite ? Vous rigolez ? La pêche à l'espadon ? Écoutez, il n'y a rien de plus difficile, vous pouvez me croire. Ted Williams est le plus grand batteur de base-ball du monde, mais à la pêche, il se débrouille, sans plus.

– Je croyais qu'il était très bon.

– Ouais. Ça, c'est ce que les journalistes racontent.

– D'accord, mais il n'est sûrement pas très bon au lancer de poids non plus.

– Il n'y a aucun rapport entre ces choses. »

Franchissant un petit pont de bois, ils arrivèrent sur le second tee. « Qui commence ? demanda Paul.

– Allez-y donc. Je vous laisse.

– Oh non, non. A toi l'honneur. Tu as marqué deux quatre, je n'ai qu'un pauvre cinq.

– Allez-y. Je veux étudier votre swing. »

Des bois se dressaient à droite du tee, couvrant la surface d'un petit pâté d'immeubles. Paul mit en place ses doigts, les serra sur le grip ; il plia le genou droit, prit une inspiration et fixa la balle alvéolée d'un œil si résolu que l'air intermédiaire parut se pétrifier. Son swing voleta dans ses mains comme un oiseau qui s'enfuit. Pris isolément, chaque moment de son swing lui avait semblé d'une parfaite mathématique, mais le total le déçut : la balle partit en slice vers les bois et, dans un ricochet, disparut à jamais derrière les frondaisons.

« Vous savez ce qui vous arrive ? Vous vous servez trop des poignets. Servez-vous plutôt de vos bras. Montrez-moi un peu votre grip. C'est *ça*, votre grip ? Ouh là là ! Et votre pouce, qu'est-ce qu'il fabrique là-bas, tout au bout ? Vous voulez devenir contorsionniste ou quoi ? Regardez comment je fais, moi : vous voyez, je suis naturel. Soyez naturel. Qui vous a dit de coller votre pouce à l'autre bout ? Vous allez attraper une ampoule.

– C'est l'oncle de ma femme, pour empêcher la face du club de tourner. » Voilà, le mot était dit : Paul avait une femme. La stupeur put, peut-être, figer un instant les traits du gamin, mais il se reprit aussitôt et repartit à l'attaque.

« C'est qui, son oncle ? Un pro ?

– Non, seulement quelqu'un qui joue beaucoup.

– Bon sang, ce qu'ils sont pénibles, tous ces gens, avec leurs systèmes à la noix. Si vous écoutez tout le monde, vous allez devenir dingue. Moi, mon père, avec un type en compagnie duquel il joue et qui est presque pro – il est aussi bon qu'un pro –, eh bien, mon père, il y a trois ans, il a fini deuxième dans un tournoi qui était quasiment national... Et vous savez ce qu'ils disent, *eux* ? Ils disent de choisir un grip naturel et de laisser tomber tous les systèmes bizarres. » Il déposa une balle sur un tee. « Vous faites un joli swing bien propre, les bras un peu raides. Comme ça. » Mais le double effort d'expliquer le geste tout en l'effectuant excédait ses forces et sa balle, topée, fila vingt-cinq mètres plus loin sur le fairway brûlé. Se tournant vers Paul, il expliqua : « Ça, c'était vous. Maintenant, je vous montre comment moi, je fais. » Et il joua un beau drive bien long. « Bon. Qu'est-ce qui vaut mieux : votre façon ou la mienne ?

– La tienne.

– Voilà. » Un émouvant sourire de clown aux lèvres, le gamin fit une courbette. « Il ne faut jamais contredire le professeur Shaw.

– D'accord, reprit Paul. Qu'est-ce qui vaut mieux : ta façon – il montrait les bois où il avait perdu son premier drive – ou la *mienne* ? » Paul était nanti d'une foi primitive. Il croyait vraiment que, s'étant impliqué de la sorte, il ne pourrait qu'être sauvé. Dans l'instant qui suivit l'impact, il eut le loisir de le penser, car le contact lui avait semblé propre ; mais sous leurs yeux, la balle, haute comme un avion et pilotée du dedans, s'incurva de plus en plus à gauche et finit par atterrir sur l'herbe et les chardons qui bordaient la route. Les ouvriers, leur journée finie, s'en étaient allés.

« Ça, un beau coup ? » dit le professeur Shaw. Puis il s'éloigna sans se retourner vers le centre du fairway, se baissant au passage pour ramasser sa balle topée. Peut-être avait-il pris peur, au bout du compte, en apprenant que Paul était marié.

Paul s'était attendu à ce qu'il demande : « Vous faites quoi, dans la vie ?

– J'écris l'intrigue d'une bande dessinée qui s'appelle *Brace Larsen* », aurait-il répondu.

Le garçon lui aurait jeté un regard perplexe.

« Elle paraît dans un journal de Hartford.

– Vous inventez juste l'histoire et c'est quelqu'un d'autre qui fait les dessins ? »

Paul marchait l'œil fixé sur l'herbe sèche ; la courroie de son sac lui sciait les épaules et, à mesure qu'il imaginait cette conversation, il perdait patience. « C'est ça. Je voulais dessiner quand j'étais gosse. Mais le syndicat m'a acheté mes idées pour qu'un autre type les dessine. Ils disent que n'importe qui peut faire l'exécutant ; ce sont les idées qui sont rares. »

Mais sur les traits de l'adolescent transpirerait cette conviction que Paul avait nourrie, lui aussi, dans son enfance : que les idées ne sont rien et que ce sont les dessins qui comptent.

L'adolescent s'en allait du premier tee quand Paul y arriva. C'était un trou très court, 105 mètres, adossé à des érables et bordé d'arbres fruitiers. Le gosse longeait le fairway en direction du green. « Z'en êtes à combien, professeur ? » le héla Paul, mais il n'y eut pas de réponse. L'illusion étrange que les aléas du parcours venaient de le confronter à son moi d'il y a dix ans éclipsait cette évidence qu'il n'aimait pas vraiment le gosse – un morveux bouffi, tout dévoué à son papa. A se voir ainsi mis sous tutelle, puis dédaigné par un mineur, Paul se sentait insulté dans sa dignité de contribuable, de mari, de père d'une enfant pour laquelle il était la moitié du monde, de concepteur d'une intrigue qui paraissait dans soixante-dix-huit quotidiens, dont un journal de Hawaii. Il trouvait une injustice criante à se voir infliger cet affront, quand une partie de lui-même se transportait quotidiennement au beau milieu du Pacifique. Trop agacé pour s'occuper de son stance, Paul joua un mashie à toute volé et s'aperçut, dans un élan de fierté et de peur mêlées, que sa balle filait droit sur le gosse. « Attention, bon Dieu ! » cria-t-il. L'adolescent se retourna, leva un coude comme pour s'abriter du soleil, garda cette pose quelques secondes. Ou les yeux de Paul le trompèrent, ou bien la balle passa littéralement au travers du gamin. Il y a un ciel pour les simples d'esprit.

Quand il le rejoignit, Shaw cherchait la balle au

pied des érables. Son visage, découpé par l'ombre, avait quelque chose d'animal.

« Mince, je suis désolé, s'excusa Paul. J'ai bien failli te tuer.

– Vous n'êtes même pas passé près. Mince, vous êtes un cogneur, vous. » L'idée d'être un cogneur remplit Paul d'aise. Voilà bien longtemps qu'il n'avait pas fouillé ainsi avec quelqu'un parmi les feuilles mortes et les racines ; il lui semblait renouer avec une forme oubliée de compagnonnage. « J'ai fait trois sur les deux derniers trous, annonça Shaw d'une voix satisfaite. Ça doit être l'un de mes meilleurs parcours.

– *Ma*gnifique. Écoute, tant pis pour ma balle ; ce truc ne vaut que trente-cinq cents.

– Il y avait quel nom dessus ?

– Je ne sais pas.

– Wilson ?

– Je ne sais pas. Je ne crois pas.

– Parce que je viens de trouver une Wilson. Si elle n'est pas à vous, je peux la garder. Elle était neuve, votre balle ?

– Pas vraiment.

– C'est la troisième que je trouve aujourd'hui. Il y a des tas de riches qui ne prennent même pas la peine de chercher. *Tant pis,* qu'ils se disent. »

Ils cherchèrent encore. Paul, certain que c'était sa balle que l'autre venait d'empocher, passait sa rage sur les pousses, fendait avec son club la fourche des arbrisseaux.

« J'abandonne, finit-il par dire. Allons-y. Avec tout ça, il me reste plus qu'une putain de balle. »

Le professeur Shaw lui jeta un coup d'œil, offensé, semblait-il, par le juron. « Je peux vous en vendre une ou deux », proposa-t-il très sérieusement. Paul ne daigna pas répondre.

Sur le quatrième tee, le gosse perdit une balle dans le marais, en droppa une autre et passa sans encombre.

« Si tu rates ton premier coup, dit Paul, surtout n'hésite pas, recommence.

– Hein ? » Il avait entendu, bien sûr. Les traits de l'adolescent s'affaissèrent ; on y lisait une peur si manifeste que Paul se radoucit un peu. Il prit son adresse. Il ne voulait rien de plus qu'un drive parfait : ce n'était pas demander la lune. Si les miracles, en cette époque de foi fragile, avaient encore leur place, ce ne pouvait être qu'ici, parmi les collisions rapides, les déflexions abruptes d'un jeu, là où l'étoffe des déterminismes était la plus mince. Son drive monta, mais de travers, au-dessus des arbres. Paul comprit avec abattement que l'angle formé par une lame métallique avec une balle de caoutchouc compte plus, aux yeux de Dieu, que le plus sincère espoir d'un être humain.

« Ça, vous n'êtes pas près de la retrouver », dit le gosse. Cette fois, il ne l'aida pas à chercher. La balle n'avait pu qu'atterrir là-bas, derrière les arbres, sur ce bout de marais à sec. La boue durcie se craquelait en rectangles réguliers ; les joncs poussiéreux lâchaient au moindre choc des bouffées poudreuses. Paul tournait en rond, accrochant des teignes à ses chevilles, le pouce endolori, le visage brûlant de soleil et de honte. La panique ajouta sa rougeur : il se faisait tard, pourquoi n'était-il pas chez lui ? Il n'avait rien à faire ici, qu'il se dépêche de rentrer. C'était sa dernière balle. Il regagna l'herbe d'un pas lourd et chercha son portefeuille ; il allait acheter deux balles au gosse quand il aperçut, au loin, une tache blanche qui se détachait sur le brun de la pente. Il était si convaincu d'avoir envoyé sa balle sur le marais qu'il lui fallut quelques secondes pour se remettre d'un réarrangement spatial qui, à ses yeux, tenait du miracle. Il s'approcha : aucun doute, c'était la sienne, sa Maxfli qui lui souriait. Sa foi resurgit. Il avait battu le gamin. A bien y réfléchir, c'était lui le meilleur golfeur : il était le plus âgé, il habitait la vie réelle.

Le professeur Shaw passait un peu plus loin, en route vers le cinq.

« Je l'ai trouvée ! le héla Paul.

– Pourquoi vous l'avez droppée là-bas ?

– Je n'y ai pas touché. Elle a atterri là. Elle a survolé tout ce terrain.

– J'ai encore fait trois sur ce trou.

– Ah oui ? Mais qui n'y arriverait pas à ta place ? Enfin, bon Dieu, tu as vu les chances que tu te donnes ? Tu tapes neuf coups et tu ne retiens que les trois meilleurs ! Si tu jouais dans les règles, un môme de trois ans pourrait te battre. Même moi, je pourrais te battre. »

Pour la première fois, l'adolescent rit : ses dents luirent comme des bords de tasse, mais il détournait les yeux et l'on sentait qu'il accusait le coup. « C'était pour vous montrer », protesta-t-il faiblement.

A son tour, Paul se mit à rire : « Écoute. Je te parie

un dollar par trou que je peux te battre. Si tu joues contre moi dans les règles, je suis prêt à mettre un dollar sur chaque trou : un dollar pour moi contre une de tes vieilles balles. Il reste les trous cinq, six, sept, huit, neuf : ça te fait cinq dollars à gagner. » Il sortit son portefeuille.

Ils se tenaient à distance l'un de l'autre et devaient crier pour s'entendre. Une brume de chaleur monta du sol : l'image du garçon vacilla.

« Gardez votre argent !

– Tu as peur, reprit Paul. J'ai beau jouer comme un pied, tu sais que je gagnerais.

– Mais non », dit le gosse d'une voix étranglée. Il se remit en marche.

« Je te rattrape ! cria Paul. De l'argent vite gagné, professeur ! »

Il agitait le portefeuille au-dessus de sa tête, mais le garçon gardait les yeux ailleurs.

Paul fit un chip sur le green et joua rapidement deux putts.

Au départ du cinq, sous le prunier, il considéra les deux drapeaux roses qui prenaient, dans le couchant, le rouge des sumacs ; il débordait d'exaltation et d'assurance. Le gosse – silhouette mélancolique, bonhomme en fil de fer – passait devant le drapeau le plus éloigné ; Paul visa la double image. Frappée à plat, la balle jaillit à ras de terre et n'en finit plus de voler, deux mètres à peine au-dessus du sol, tout en se déportant sur la gauche. Mais ce hook n'ébranlait en rien sa conviction qu'il allait infliger à son adversaire une raclée méritée. La balle toucha enfin terre ;

elle eut un haut rebond, puis, comme arrachée par un invisible bras céleste, elle s'évanouit. Paul nota le point précis où il l'avait vue disparaître.

Il se rendit là-bas. La pente douce où sa balle aurait dû l'attendre ne comportait pas un buisson, pas un arbre, pas une rigole ; sur ce tapis d'herbe rase, la plus petite touche de blanc aurait crevé. Il ne trouva rien. Il y a un ciel pour les simples d'esprit.

Sans s'en rendre compte, Paul avait pris sa décision. Il rajusta la courroie du sac qui lui sciait l'épaule et regagna la route où l'attendait sa voiture poussiéreuse. Bientôt l'heure du dîner : la petite fille serait dans son bain, elle gazouillerait de joie quand son papa pousserait la porte.

Il n'avait jamais vu le cinquième green de ce petit parcours ; à son insu, il se l'imaginait paradisiaque – des arbres aux larges feuilles, des oiseaux aux longues queues, le murmure d'une source. Le professeur Shaw se demanderait sans doute pourquoi son nouvel ami ne se décidait pas à paraître en haut de la montée, mais les gosses se font bien à ces choses-là : ils n'ont pas assez vécu pour maîtriser les règles sociales. Paul se revit à cet âge et le dégoût le gagna : il lui semblait tenir une larve au creux de sa paume. Les machines abandonnées trônaient entre des tas de remblai comme des monstres que viennent d'exhumer des paléontologues. On ne voyait pas âme qui vive et tout le paysage semblait la proie d'un sortilège épuisant. Ce maudit jeu.

Trois parties avec Harry Angstrom

*Mes quatre romans centrés sur la figure de Harry Angstrom * – ou Rabbit – voient le héros renoncer à sa passion de jeunesse pour le basket et se mettre au golf. C'est dans* Cœur de lièvre, *l'été 1959, qu'il revient à ce sport (dont il avait eu un aperçu dans l'enfance en tant que caddie occasionnel). A l'origine de cette redécouverte, le révérend Jack Eccles, un pasteur épiscopalien – lequel, plein d'une amicale sollicitude, voudrait bien arracher Rabbit à Ruth, la femme qui partage désormais sa vie, pour le faire revenir à Janice, son épouse abandonnée.*

Ils quittent la route ** pour s'engager dans l'allée qui monte en lacets vers le club-house, un grand bâti-

---

* En français, *Cœur de lièvre,* traduit et publié aux éditions du Seuil, *Rabbit rattrapé, Rabbit en paix, Rabbit est riche,* traduits et publiés aux éditions Gallimard. Les passages afférents sont reproduits de ces ouvrages avec l'autorisation des éditeurs. Nous citons les références en tête de chaque passage. *(N.d.T.)*

** Scène extraite de *Cœur de lièvre,* trad. Jean Rosenthal, Folio, 1995, pp. 145-152. *(N.d.T.)*

ment portant un panneau avec l'inscription *Terrain de golf de Chesnut Grove* entre deux panonceaux de Coca-Cola. Quand Harry était caddy au club, il n'y avait qu'une sorte de baraque en bois avec un poêle, des tableaux de vieux tournois, deux fauteuils et un comptoir où l'on vendait des bonbons et des balles de golf repêchées dans le marais et que Mrs. Wenrich revendait. Il imagine que Mrs. Wenrich est morte. C'était une vieille veuve délicatement maquillée comme une poupée, avec des cheveux blancs, et c'était toujours drôle de l'entendre parler de greens, de gazon, de tournois et de bogey. Eccles gare la Buick sur l'asphalte du parking et dit : « Oh ! avant que j'oublie... »

Rabbit a la main sur la poignée de la portière.

« Quoi donc ?

– Voulez-vous un emploi ?

– Quel genre ?

– Une de mes paroissiennes, une Mrs. Horace Smith, a environ trois hectares de jardin autour de sa maison, du côté d'Appleboro. Son mari était un incroyable amateur de rhododendrons. Je ne devrais pas dire incroyable ; c'était un charmant vieux monsieur.

– Je ne connais rien au jardinage.

– Personne n'y connaît rien, c'est ce que dit Mrs. Smith. Il ne reste plus de jardiniers. A quarante dollars par semaine, je la crois volontiers.

– Un dollar l'heure. Ça n'est pas lourd.

– Ce ne serait pas quarante heures. Les horaires sont un peu élastiques. C'est ce que vous voulez, n'est-ce pas ? Pas d'horaires trop astreignants ? Pour que vous puissiez être libre de prêcher aux multitudes. »

Eccles a vraiment une tendance à la méchanceté. Lui et Belloc. Sans son col rond, il se laisse un peu aller. Rabbit descend de la voiture. Eccles en fait autant, et sa tête vue de l'autre côté de la voiture a l'air de reposer sur le toit comme sur un plateau. La bouche large remue.

« Je vous en prie, songez-y.

– Ça n'est pas possible. Il se peut que je ne reste même pas dans la région.

– La fille va vous flanquer dehors ?

– Quelle fille ?

– Comment s'appelle-t-elle déjà ? Leonard. Ruth Leonard.

– Tiens ! Vous êtes malin, dites donc, hein. (Qui donc avait pu lui dire ? Peggy Gring ? Tothero ? Plutôt la petite amie de Tothero. Elle ressemblait à Janice. Ça n'a pas d'importance, le monde est si petit, de toute façon les choses finissent par se savoir.) Je n'ai jamais entendu parler d'elle », dit Rabbit.

La tête sur le plateau a un sourire bizarre qu'éclaire le reflet du soleil sur la carrosserie.

Ils marchent côte à côte jusqu'au club-house. En chemin, Eccles observe :

« Ce qu'il y a d'étrange avec vous autres mystiques, c'est combien souvent vos petites extases portent la jupe.

– Dites donc. Je n'étais pas obligé de venir aujourd'hui, vous savez !

– Je sais. Pardonnez-moi. Je suis très déprimé. »

Il n'y a vraiment rien de mal à ce qu'il dise ça, mais cela agace Harry. Cette façon de raccrocher, de dire : « Ayez pitié de moi. Aimez-moi. » Il en a les lèvres qui se collent ; il est incapable de les entrouvrir pour répondre. Lorsque Eccles paie pour lui, c'est à peine s'il parvient à le remercier. Quand ils choisissent un jeu de clubs à louer pour lui, il est si indifférent et si taciturne que le gosse criblé de taches de rousseur qui tient le comptoir le dévisage comme s'il était un simple d'esprit. Eccles et lui se dirigent vers le premier tee et il se sent en partie détruit, comme un bon cheval attelé avec une haridelle. La présence d'Eccles l'entraîne si fort qu'il doit lutter pour pencher de l'autre côté.

Et la balle le sent aussi, la balle qu'il frappe après un bref conseil donné par Eccles. Elle dévie d'un côté, détournée par un effet pervers qui la fait choir en plein vol aussi lourdement qu'une motte d'argile. Eccles se met à rire.

« C'est le meilleur premier drive que j'aie jamais vu.

– Ce n'est pas un premier drive. Je tapais un peu la balle quand j'étais caddy. Je devrais faire mieux que ça.

– Vous attendez trop de vous-même. Regardez-moi, ça vous réconfortera. »

Rabbit recule, et il est surpris de voir Eccles qui, dans ses gestes inconscients, a un certain ressort, manier son club avec l'étrange raideur d'un quinquagénaire. On dirait qu'il veut se débarrasser d'un pot qui est sur son chemin. Il frappe la balle avec une molle obstination. Elle file droit, et il a l'air ravi. Il en caracole sur le fairway. Harry le suit d'un pas lourd. Le gazon détrempé par le dégel récent cède sous ses grosses chaussures de daim. Ils sont sur un parcours en dents de scie : Eccles monte, lui descend.

Le long des buissons païens et des allées vertes du terrain, Eccles est transformé. Une absurde gaieté l'anime. Il rit, il balance son club, il glousse et il crie. Harry ne le déteste plus ; il est si terrible lui-même. Son ineptie semble l'envelopper comme une maladie honteuse. Il est reconnaissant à Eccles de ne pas le fuir. Souvent Eccles, qui est à cinquante mètres plus loin – il a l'habitude de se précipiter dans un joyeux élan –, revient en arrière pour trouver une balle que Harry a perdue. Rabbit, lui, n'arrive pas à détourner son attention de l'endroit où la balle aurait dû aller, vers la petite serviette idéale de gazon bien taillé ornée d'un joli drapeau. Son regard est incapable de voir où elle est allée en réalité.

« Ici, dit Eccles. Derrière une racine. Vous avez vraiment de la chance.

– Ça doit être un cauchemar pour vous.

– Pas du tout, pas du tout. Vous êtes très doué. Vous n'avez jamais joué et pourtant pas une fois vous n'avez complètement manqué la balle. »

Cette fois, ça y est : il vise et, dans son désir de la frapper malgré la racine, il manque complètement la balle.

« Votre seul défaut, c'est d'essayer d'utiliser votre haute taille, dit Eccles. Vous avez un magnifique swing naturel. »

Rabbit frappe de nouveau, la balle s'élève péniblement et retombe quelques mètres plus loin.

« Penchez-vous sur la balle, dit Eccles. Imaginez-vous que vous allez vous asseoir.

– Je vais me coucher », dit Harry.

Il se sent malade, il a le vertige, il se sent entraîné de plus en plus profondément dans un tourbillon dont la bordure supérieure est marquée par le faîte des arbres feuillus. Il semble se souvenir d'être déjà venu ici. Il glisse dans des flaques, il est englouti par les arbres, il sombre invariablement dans les maigres buissons qui bordent le fairway.

Cauchemar est le mot. Dans l'état de veille, seuls les êtres animés se démènent ainsi. Il s'est toujours bien débrouillé avec les objets. Sa façon irréelle de manier ses clubs l'étourdit. A demi hypnotisé, il se sent victime de tours dont l'étrangeté lui apparaît lentement. Dans sa tête, il s'adresse aux clubs comme si c'étaient des femmes. Les fers, légers et minces et pourtant traîtres dans ses mains, sont Janice. *Allons, crétin, du calme : là, doucement !* Quand la surface cannelée du club heurte la terre derrière la balle et que la secousse se répercute par ses bras jusqu'à ses épaules, il a l'impression que c'est Janice qui l'a frappé. *Oh ! Elle est idiote, vraiment idiote ! Qu'elle aille se faire voir ! Qu'elle aille au diable !* La colère lui pourrit la peau, si bien que l'extérieur passe à travers ; il sent ses entrailles se déchiqueter sur les petites arêtes sèches des ronces, où des mots restent accrochés comme des nids de chenilles qu'on ne peut pas brûler. *Elle frappe, frappe, gras, elle frappe la terre* déchirée en une gueule brune *la terre frappe gras* : avec les bois, le « elle » est Ruth. Un bois 3 à la main, contemplant sa grosse tête rougeâtre et la face tachée d'herbe ainsi que la ligne blanche bien nette sur la tranche, il pense : *Bon, si tu es si malin,* ses mains se crispent et il balance son club. Ah ! quand elle basculait si facilement, louper ça ! La plaie dans l'herbe déchirée et la balle court ; bondit et rebondit, disparaît dans un buisson ; comme une queue blanche. Et quand il va jusque là-bas, le buisson est Dieu sait qui, sa mère peut-être ; il soulève les branches touffues, tout honteux, mais en prenant soin de ne pas en casser une, et ces branches lui gênent les jambes, tandis qu'il s'efforce de déverser sa volonté dans cette petite boule d'une irréductible dureté qui n'est pas vraiment lui-même et qui, pourtant, l'est dans une certaine mesure ; ça se voit rien qu'à la façon dont elle reste là au milieu de tout. Quand le fer 7 s'abat, *je t'en prie, Janice, juste une fois,* la maladresse s'accroche à ses coudes, et la balle, sous ses yeux, va s'accrocher avec une décourageante lenteur dans d'autres tristes mauvaises herbes un peu plus loin, couleur kaki comme au Texas. *Oh ! idiot, rentre !* Le trou, c'est la maison et au-dessus, dans le cadre de la triste vision qui ronge son attention et grâce à une superposition presque optique de diverses présences, le ciel gris de pluie est son grand-père attendant au dernier étage pour que Harry ne soit pas un Fosnacht.

Et tantôt dans les coins, tantôt au centre de ce rêve inquiétant, Eccles s'agite dans sa chemise sale comme un drapeau blanc de pardon, prodiguant les encouragements, voletant sur le gazon pour le guider sur le chemin du retour.

La pelouse, pas encore éveillée de son sommeil hivernal, est parsemée d'une poussière sèche, de l'engrais ? La balle glisse, faisant jaillir de la poussière.

« Ne soyez pas sec comme ça sur vos putts, dit Eccles. Un petit swing détendu, les bras raides. Au premier putt, la distance compte plus que le but. Essayez encore. »

Il lui renvoie la balle. Harry a mis environ douze coups pour arriver au quatrième trou, mais cette façon satisfaite de considérer qu'on n'a pas besoin de compter ses coups l'irrite. *Viens, chérie,* dit-il à sa femme, *voilà le trou, gros comme un seau. Tout va bien !*

Mais non, il faut qu'elle parte d'une chiquenaude affolée ; de quoi avait-elle peur ? La balle s'arrête à peut-être un mètre cinquante. Rejoignant Eccles, il dit :

« Vous ne m'avez jamais dit comment va Janice.

– Janice ? (Eccles, au prix d'un effort, cesse de s'intéresser au jeu. Il adore gagner ; *il me dévore,* pense Harry.) Elle semblait en bonne forme lundi. Elle était dans la cour avec cette autre femme, et elles riaient toutes les deux quand je suis arrivé. Vous devez comprendre que pendant un moment, maintenant qu'elle est un peu adaptée, elle sera probablement contente d'être revenue chez ses parents. C'est sa version à elle de votre irresponsabilité.

– En fait, dit Harry d'un ton grinçant, s'accroupissant pour prendre sa ligne, comme on le voit faire aux champions à la télévision, elle ne peut pas plus supporter ses parents que moi. Elle ne m'aurait sans doute pas épousé si elle n'avait pas été si pressée de s'en aller de chez eux. »

Sa balle glisse sur la pente et s'en va soixante ou quatre-vingts foutus centimètres trop loin. Même plus d'un mètre.

Eccles loge sa balle dans le trou. La balle hésite un peu, puis, avec un gargouillement de glotte, tombe dedans. Le pasteur relève un visage triomphant.

« Harry, demande-t-il doucement, mais non sans audace, pourquoi l'avez-vous quittée ? De toute façon, vous tenez beaucoup à elle.

– Je vous ai expliqué. C'est à cause de cette chose qui n'était pas là.

– Quelle chose ? L'avez-vous vue ? Êtes-vous sûr qu'elle existe ? »

Harry fait encore un putt trop court et il ramasse sa balle avec des doigts tremblants.

« Oh ! Si vous n'êtes pas sûr que ça existe, ne m'interrogez pas. C'est quand même votre partie. Si vous ne le savez pas, personne ne le sait.

– Non, s'écrie Eccles de la même voix tendue avec laquelle il dit à sa femme de garder son cœur ouvert à la grâce. Le christianisme ne consiste pas à chercher un arc-en-ciel. Si c'était ce que vous pensez, on distribuerait de l'opium aux services. Nous essayons de servir Dieu, pas d'être Dieu. »

Ils ramassent leurs sacs et suivent le chemin que leur indique une flèche de bois.

« Tout cela a été réglé, il y a des siècles, reprend Eccles, au moment des hérésies de l'Église primitive.

– Je vais vous dire, je sais ce que c'est.

– Qu'est-ce que c'est ? Qu'est-ce que c'est vraiment ? Est-ce dur ou doux ? Harry, est-ce bleu ? Est-ce rouge ? Est-ce à pois ? »

Cela déprime Harry de constater que l'autre veut vraiment qu'on le lui dise. Derrière toutes ces déclarations j'en-sais-plus-que-vous et hérésie-de-l'Église-primitive, il a vraiment envie qu'on le lui dise, il veut qu'on lui dise que c'est là, qu'il ne ment pas à tous ces gens chaque dimanche. Comme si ça ne suffisait pas d'essayer de comprendre quelque chose à ce jeu idiot, il faut encore trimbaler ce timbré qui essaie d'avaler votre âme. La courroie du sac lui scie l'épaule.

« La vérité, lui dit Eccles, excité comme une femme, d'une voix pétrifiée de gêne, c'est que vous êtes d'un égoïsme monstrueux. Vous êtes un lâche. Cela vous est égal d'avoir raison ou tort ; vous ne respectez rien que vos pires instincts. »

Ils arrivent au tee, une plate-forme de gazon auprès d'un arbre fruitier ratatiné qui offre des poignées de bourgeons pâles.

« Je ferais mieux de passer le premier, dit Rabbit. Ça vous donnera le temps de vous calmer. »

La colère fait taire son cœur. Plus rien ne l'intéresse que de se tirer de là. Il voudrait bien que la pluie se mette à tomber. Évitant de regarder Eccles, il considère la balle perchée sur le tee et qui semble déjà voler au-dessus du sol. Très simplement, il fait décrire une longue trajectoire à son club et frappe la balle. Cela fait un bruit d'un creux, d'un bizarre, comme il n'en a jamais entendu. Dans son élan il relève la tête, et sa balle plane au loin, d'une pâleur lunaire contre le magnifique bleu-noir des nuages d'orage, la couleur de son grand-père s'étendant du côté de l'est. La balle s'éloigne suivant une ligne droite comme une règle. Frappée par le club, c'est une sphère, une étoile, un point. Elle hésite et Rabbit pense qu'elle va s'arrêter, mais il se trompe, car cette hésitation sert de tremplin à la balle, pour un ultime bond : dans une sorte de sursaut perceptible, elle parcourt un dernier bout d'espace avant de retomber.

« Ça y est ! s'écrie-t-il. (Et, se tournant vers Eccles avec un sourire radieux, il répète :) Ça y est ! »

Vingt ans plus tard (nous sommes l'été 1979), Rabbit est riche *nous montre Rabbit membre d'un club privé, le Flying Eagle, où il a tout loisir de reluquer les femmes de ses copains – à commencer par la jeune Cindy Murkett, belle plante aux bikinis affriolants – et de philosopher sur le jeu. Selon une confession caractéristique : « Je frappe comme un as, si seulement je pouvais marquer. » Il cherche encore à réaliser son potentiel et va de coups trop forts en coups trop faibles, luttant contre la dépression : « Quand ils arrivent enfin sur le parcours, le vert lui apparaît comme une nuance de noir. Chaque feuille d'herbe à ses pieds est une vie qui va mourir et qui a fleuri inutilement. » Nous le voyons brièvement sauver un par dans un bunker au fourball de Labor Day :*

Il tortille ses pieds * pour s'enraciner dans le sable, en gardant tout son poids sur ses talons, et s'oblige à accompagner le wedge, à cueillir la balle et à l'accompagner *jusqu'au bout*, foi aveugle, d'habitude par pure timidité il la cueille proprement et l'expédie de l'autre côté du green, mais dans ce cas précis, il est tellement en fureur contre Ronnie et tellement blasé que tout marche bien : la balle s'élève sur sa gerbe de sable, comme sur un coussin, accroche le green et se faufile si près du drapeau que ses trois partenaires en gloussent de joie. Il rentre le putt pour sauver le par. N'empêche, aujourd'hui la partie paraît longue, peut-être est-ce le gin de midi ou le marasme de la mi-été, mais il ne peut s'empêcher de voir les fairways comme des toboggans qui plongent dans le néant, ou de se dire qu'il devrait être ailleurs, qu'il est arrivé quelque chose, qu'il *arrive* quelque chose, qu'il est en retard, que quelqu'un lui a fixé un rendez-vous et qu'il l'a oublié.

En vacances avec ses amis sur une île des Caraïbes – « sur de désertiques fairways, tracés entre d'inextricables jungles de ronces où il n'est pas de recovery » – Rabbit est aux prises avec les « bons trucs » qu'on se répète pour mieux jouer tout en sentant peser sur lui cette impression de culpabilité et d'injustice qu'inspirent les grands espaces du golf :

Au golf il joue mal aujourd'hui ** ; quand il est fatigué, il a tendance à trop accompagner son swing et à secouer les mains au lieu de laisser les bras achever le mouve-

* Scène extraite de *Rabbit est riche*, trad. Maurice Rambaud, Folio, 1993, p. 246. *(N.d.T.)*

** *Ibid.*, pp. 543-544.

ment. Garder le poignet cassé, ne pas tout gâcher en redressant au sommet. Ne pas se balancer sur les orteils, s'imaginer le nez plaqué contre une vitre. Penser à des rails. Accompagner. Petits trucs qui ne servent pas à grand-chose aujourd'hui. Ce matin, la tirée paraît longue entre les ailes de la jungle de corail, à force d'escalader les greens bosselés comme des édredons, quoique sous ce soleil, ces greens soient sans doute un vrai miracle. Il déteste Webb Murkett, qui ce matin rentre tous ses putts dans un rayon de six mètres. De quel droit, non content de monopoliser ce merveilleux petit con, ce vieux baratineur dégingandé rafle-t-il par-dessus le marché le nassau * ?

Mais pour voir Harry disputer une nouvelle partie, il faut attendre dix ans et Rabbit en paix. *Harry s'est désormais retiré sur la côte ouest de la Floride ; il joue sur le terrain privé de son « condo » – le lotissement où il habite. Ses cinquante-cinq ans se font nettement sentir. Il souffre de douleurs menaçantes à la poitrine et doit porter des lunettes.*

Et puis **, les verres sont toujours souillés de poussière, et toutes les choses qu'il regarde paraissent fatiguées ; il les a déjà vues trop souvent. Une sorte de sécheresse s'est abattue sur le monde, une décolora-

---

* Nassau : partie de golf où les neuf premiers trous valent un point au gagnant, les neuf suivants un point, et les dix-huit un point. *(N.d.T.)*

** Scène extraite de *Rabbit en paix*, trad. Maurice Rambaud, Gallimard, 1993, pp. 74-87. *(N.d.T.)*

tion comme celle qui frappe les vieilles photos en couleurs, même celles que l'on garde à l'abri au fond d'un tiroir.

A part, chose bizarre, avant son premier swing, le premier fairway d'un parcours. Une image toujours neuve. Là, sur le tertre damé du tee, bien planté en chaussettes éponge et grosses Footjoy blanches à pointes, extirpant de la housse la longue tige fuselée du club, un Lynx Predator, il se sent de nouveau grand, grand comme il l'était jadis sur un parquet de basket-ball en feuillu quand, passé les toutes premières minutes, son dynamisme croissant, ses rebonds et ses sauts de plus en plus amples réduisaient le terrain à des dimensions enfantines, à la superficie d'un court de tennis, puis d'une table de ping-pong, ses jambes dévorant inconsciemment les distances d'un bout à l'autre, et l'anneau, ceint de son filet gracile pareil à une jupe, plongeant soudain comme pour accueillir les tirs au panier. De même, au golf, les distances, les centaines de mètres, s'évanouissent, se réduisent à quelques swings sans effort pour qui trouve le sortilège secret, la clé. Toujours, pour lui, le golf offre un espoir de perfection, l'espoir d'une apesanteur parfaite et d'une aisance accomplie, car c'est vrai, oui, cela se produit de temps à autre, en trois dimensions, coup après coup. Mais c'est alors qu'il devient humain et essaie de forcer la chance, de la provoquer, de gagner encore dix mètres de plus, de la guider, et elle s'enfuit, *il* s'enfuit, cet état de grâce, pourrait-on dire, ce sentiment de collaboration, d'être lui, plus grand qu'il ne l'est en réalité. Mais quand il est planté là sur le premier tee, elle est là, cette grâce, elle resurgit Dieu sait d'où, là elle gîte tout le reste de la vie, possibilité infinie, sans bornes, la possibilité d'une partie irréprochable, une partie exempte de la moindre souillure, sans un seul pull de soixante centimètres raté ni un coude droit qui décolle, sans un seul putt sur un bois, sans un seul push sur un fer ; le premier fairway s'étend là devant vous, palmier sur la gauche et eau sur la droite, plat comme une photo. Il suffit d'un simple swing, d'un swing pur pour transpercer en plein milieu la photo d'une balle qui, en une seconde, se rapetisse jusqu'à n'être plus qu'une piqûre d'épingle, un minuscule tunnel qui fore l'absolu. Ça, ce serait le *rêve*.

Mais comme il va décocher son swing d'entraînement, un tressaillement de douleur lui crispe la poitrine et, soudain, sans savoir pourquoi, il pense à Nelson. Le gosse lui trotte décidément par la tête. Comme il se met en position pour adresser la balle, il se sent traqué mais, impatient, force trop de la main droite et le coup se rabat en oblique. La balle prend un départ prometteur, mais dévie de plus en plus vers la droite et disparaît trop près du bord du long bassin couvert d'écume.

« J'crains qu'on soit en plein chez les alligators », dit tristement Bernie. Bernie est son partenaire pour cette partie.

« Mulligan ? » s'enquiert Harry.

Suit une pause. « Qu'en penses-tu ? demande Ed Silberstein à Joe Gold.

– Je n'ai pas remarqué que *nous*, on a demandé un mulligan, dit Joe à Harry.

– Bande d'estropiés, raille Harry, vous n'envoyez pas assez loin pour avoir des problèmes. Les mulligans, on les accorde au premier drive. C'est la tradition qui veut ça.

– Angstrom, dit Ed, comment feras-tu pour te montrer à la hauteur de ton potentiel si on continue à te dorloter à coups de mulligans ?

– A ton avis, quel potentiel peut-on avoir avec un bide pareil ? renchérit Joe. Selon moi, tout son potentiel est passé dans son côlon. »

Tandis qu'ils le mettent ainsi en boîte, Rabbit sort une autre balle de sa poche, la pose sur le tee et, d'un demi-swing sec, l'expédie sans anicroche, mais sans gloire, sur la gauche du fairway. Peut-être pas tout à fait sans anicroche : on dirait qu'elle heurte une plaque de sol dur et rebondit plusieurs fois en direction d'un palmier. « Désolé, Bernie, fait-il. Je vais me détendre.

– Je me fais de la bile ? » demande Bernie, dont le pied enfonce la pédale de la voiturette électrique une fraction de seconde avant que Harry s'installe près de lui sur le siège. « Avec tes muscles et ma cervelle, on est sûrs de leur flanquer la pile, à ces crétins. »

Bernie Drechsel, Ed Silberstein et Joe Gold, tous les trois sont plus âgés que Harry, et plus petits, aussi d'ordinaire se sentait-il bien dans sa peau. En leur compagnie, il est un grand costaud de Suédois, ils l'appellent Angstrom, un petit chrétien plutôt marrant, un gros morceau pâle et incirconcis du rêve américain. De son côté, il adore leur façon de voir les choses ; plus virile, lui semble-t-il, que la sienne, plus triste, plus sage et moins incertaine. Leur longue histoire a passé les innombrables souffrances aux profits et pertes, et poursuit hardiment sa route. Tandis que la voiturette roule sur le gazon tassé et luisant en direction de leurs balles, Harry relance Bernie : « Toutes ces histoires à propos de ce type, Deion Sanders, tu en penses quoi ? Dans le journal de ce matin, il se débrouille même pour que le maire de Fort Myers lui trouve des excuses à sa place. »

Bernie déplace de deux centimètres son cigare dans sa bouche. « C'est cruel, dit-il, tu sais, de tirer du néant ces gosses noirs, de faire tout ce battage autour d'eux et d'en faire des millionnaires. Pas étonnant qu'ils deviennent dingues.

– D'après le journal, la foule a empêché les flics de lui frayer un passage. Comme un vendeur l'accusait d'avoir fauché une paire de boucles d'oreilles, il avait piqué une rogne. Même qu'il lui avait collé une beigne.

– Dans le cas de Sanders, je ne sais pas, dit Bernie, mais pour la plupart c'est la drogue. La cocaïne. Cette saloperie, il y en a partout.

– On se demande bien ce que les gens y trouvent.

– Ce qu'ils y trouvent, dit Bernie, qui arrête la voiturette et pose son cigare sur le petit socle de plastique prévu pour mettre les verres ou les boîtes de bière, c'est le bonheur instantané. » Se préparant à adresser sa deuxième balle, il prend ce stance affreux qui n'appartient qu'à lui, pieds trop rapprochés, sa tête chauve plongeant dans le mauvais sens, et frappe la balle avec un fer 4 ; tout dans les bras et les poignets. Pourtant elle ne dévie pas et s'arrête à une distance raisonnable, un chip facile, du green surélevé. « Il y a deux voies pour parvenir au bonheur, poursuit-il, de nouveau au volant. Travailler, jour après jour, comme toi et moi l'avons fait, ou prendre un raccourci chimique. Vu ce qu'est le monde d'aujourd'hui, les jeunes optent pour le raccourci. Le chemin le plus long leur paraît trop long.

– Ouais, ma foi, c'est vrai, il *est* long. Et après, quand on a tenu la distance, où est le bonheur ?

– Derrière toi, admet l'autre.

– Si je m'intéresse à Sanders et aux gosses dans son genre, dit Rabbit, tandis que Bernie file à bonne allure sur le fairway grillé par le soleil, en slalomant entre les palmes brunes et les noix de coco qui jonchent le sol, c'est que, dans le temps, moi aussi j'y ai goûté. L'athlétisme. Les gens qui vous acclament, vous adorent. Réclament leur part eux aussi.

– Sûr que ça te plaisait. Ça crève les yeux. Rien qu'à ta façon de brandir ton club. N'empêche, j'ai bien peur que t'aies touché le palmier. T'es bloqué, mon pote. » Bernie arrête la voiturette, un peu trop près de la balle au goût de Harry.

« Avec un hook, je devrais pouvoir me dégager.

– Surtout pas. Contente-toi de la sortir d'un chip. Tu sais ce que dit Tommy Armour : Dans une situation pareille, prendre un coup pour son recovery, et à la prochaine, cibler carrément sur le green. Ne jamais tenter de miracle.

– Ma foi, toi t'es déjà bien placé pour un bogey peinard. Laisse-moi essayer de la hooker. » Le palmier est de ceux dont le tronc ressemble à une tresse géante. Il le sent respirer sur lui, avec un faible bruissement, une vague odeur pareille à celle d'un grenier accueillant bourré de vieilles lettres d'amour et de vieux devoirs. La mort, on meurt beaucoup en Floride, à y bien regarder. Si les palmiers poussent, c'est que leurs basses branches meurent et se détachent. Le soleil ardent précipite les cycles de vie. Harry se met en position, sa hanche frôlant le tronc rugueux et déchiqueté, rabat le fer 5 et imagine déjà l'arc incurvé du coup miraculeux et le cri ravi de Bernie, un cri de félicitation.

Mais en réalité, la proximité de l'arbre, peut-être aussi celle de Bernie dans la voiturette, inhibe son swing et, rabattu, le club envoie la balle en pull, de sorte qu'elle frappe le sommet du palmier voisin au ras du fairway et s'engloutit dans le rough peu profond. Pourtant, en Floride, le rough ne ressemble en rien aux roughs du Nord ; ce n'est qu'une herbe pâle et spongieuse, plus haute d'un centimètre à peine que le fairway. Ici, on bichonne les parcours à l'intention des vieux et des infirmes. Ici on vous dorlote.

Bernie pousse un soupir. « Tête de mule, dit-il comme Harry le rejoint. Vous, les gars, vous vous imaginez qu'il vous suffit de siffler pour que le monde se mette aussitôt à fondre. » Harry le sait : « gars » est le mot courtois pour « goy ». L'idée que peut-être il a tort, que même s'il siffle, les obstacles ne fondront pas, ressuscite cette sourde douleur, ce pressentiment de catastrophe qui lui est venu à l'aéroport. Comme il se redresse pour décocher son troisième coup, un fer 8 selon son estimation, la désapprobation de Bernie pèse sur ses bras et le pousse à frapper un peu mou, au point de briser l'élan de la balle et de l'envoyer choir dix mètres trop court.

« Désolé, Bernie. Envoie-la juste au-dessous et marque ton par. » Mais Bernie loupe son chip – de nouveau tout dans les poignets, et trop rapide –, tous deux s'en tirent avec des six, Ed Silberstein emportant le trou avec un banal bogey. Ed est un comptable de Toledo depuis peu retraité, maigre et nerveux, avec des cheveux noirs hérissés et une fine mâchoire saillante qui lui donne l'air d'être toujours sur le point de sourire ; on dirait qu'il ne décolle jamais sa balle de plus de trois mètres, mais n'empêche, il la pousse bel et bien vers le trou.

« Sur ce coup, les gars, vous aviez tout de Dukakis, croasse-t-il. Le parfait loupé. Un beau gâchis.

– Ne bêche pas le Duke, dit Joe. Pour une fois, il nous a valu une administration honnête. C'est pour ça que les politicards de Boston lui gardent une dent. » Joe Gold est propriétaire d'un ou deux magasins d'alcools et spiritueux dans une banale petite ville du Massachusetts, Framingham. Trapu et rouquin, il porte des lunettes aux verres si épais que ses yeux, toujours à sautiller d'un côté sur l'autre, paraissent vouloir s'échapper de deux petits aquariums. Lui et sa femme, Beu, Beu comme Beulah, occupent l'appartement d'à côté dans le condo, des voisins très tranquilles ; à se demander à quoi ils passent leur temps, jamais le moindre bruit.

« Il s'est dégonflé au moment critique. Il aurait dû tenir le coup et dire : " Pour sûr, je suis un libéral, et sacrément fier de l'être. "

– Ouais, et comment aurait-ce été reçu dans le Sud et le Midwest ? demande Joe. En Californie et en Floride aussi d'ailleurs, avec tous les vieux schnocks qui ne demandent qu'à entendre une seule chose : " Finis les impôts " ?

– Dégueulasse, concède Ed. Mais de toute façon, ils ne lui auraient pas donné leurs voix. Son seul espoir, c'était d'enflammer les pauvres. Allez, Angstrom, force ton putt. Je t'ai déjà marqué pour six.

– Je manque d'entraînement », dit Harry, qui caresse la balle et la voit partir en oblique sur la gauche. Ce n'est pas son jour. Mais aura-t-il jamais de nouveau un jour ? Cinquante-cinq ans et il baisse. Son propre fils trouve insupportable d'être dans la même pièce que lui. Un jour, Ruth l'a appelé Mr. La Mort.

« Il cherchait à s'allier aux démocrates qui soutenaient Reagan, s'obstine à expliquer Joe. Sauf que les démocrates reaganiens, ça n'existe pas, ce sont d'indécrottables réacs. Maintenant que je vis ici, dans le Sud, je comprends mieux de quoi il s'agit. Tout ça, c'est à cause des Noirs. Cent trente ans après Abe Lincoln, les républicains ont gagné le vote anti-noir, qui fait suffisamment le poids pour qu'aucun candidat démocrate à la Présidence puisse espérer le contrer, à moins d'une crise économique majeure ou d'une bavure de la taille de Watergate. Le coup d'Ollie North ne suffit pas. Que Reagan n'ait rien dans la tête n'a pas suffi non plus. Faut voir les choses en face : dans leur grande majorité, les gens de ce pays ont une trouille bleue des Noirs. C'est le seul problème qui nous tienne aux tripes. »

Après l'histoire de Skeeter il y a maintenant vingt ans, Rabbit a toujours eu des sentiments mitigés au sujet des Noirs, et chaque fois que le sujet surgit dans une conversation, il est enclin à tenir sa langue de peur de se trahir malgré lui. « Bernie, qu'en penses-tu, toi ? » demande Harry pendant qu'ils regardent les deux autres frapper du deuxième tee, un par 3 de 130 mètres au-dessus de la même mare couverte d'écume trouble. A son avis, Bernie est le plus avisé des trois, le plus flegmatique et le plus réfléchi. Il y a quelques années, il a subi une opération à cœur ouvert et n'a jamais totalement récupéré. Il se déplace pesamment, souffre d'emphysème et est affligé d'une voussure et de la démarche indolente et molle d'un homme bien rembourré qui a perdu du poids uniquement pour obéir à son médecin. Son teint n'est pas beau à voir, et de profil, sa lèvre inférieure est molle.

« Ce que je pense, dit-il, c'est que Dukakis a essayé de parler intelligemment au peuple américain, mais que nous ne sommes par mûrs pour ce genre de discours. Bush nous a parlé comme à une bande de crétins, et nous avons tout gobé. Non mais, tu imagines, le Serment d'Allégeance, le coup de “ lisez sur mes lèvres ” – tu te rends compte, tout ce baratin de merde à notre époque ? Ailes et les autres, ils en ont fait un représentant de marque de bière pour virées en montagne. » Cette dernière phrase, Bernie la chante, la voix chevrotante, mais d'une vérité touchante. Comme toujours, Rabbit est impressionné par cette capacité que semblent avoir les Juifs, la capacité de chanter et de danser, de jouir de l'instant. Ils chantent au seder * , il le sait, parce que Bernie et Fern les ont invités à un seder une année en avril juste avant qu'ils regagnent le Nord. Passover **. L'ange de la mort était passé. Jamais auparavant Harry n'avait compris le sens du mot. Que cette coupe passe en d'autres mains. « Dans mon esprit, conclut Bernie, toujours à propos de Bush, il y a deux possibilités – il croyait à ce qu'il disait, ou il n'y croyait pas. Je me demande ce qui est le plus terrifiant. C'est, comme on dit chez nous, un *pisher* ***.

– Dukakis, on avait toujours l'impression que, pour une raison ou une autre, il était en rogne », contribue Harry. Il ne peut se résoudre à admettre plus clairement que, seul dans ce quatuor, il a voté pour Bush.

Peut-être Bernie devine-t-il. « Après huit années de Reagan, dit-il, j'aurais cru que davantage de gens seraient en rogne. Si, dans ce pays, on arrivait à convaincre les pauvres de voter, on aurait le socialisme. Mais les gens veulent penser riche. Voilà le

---

* *Seder* : repas traditionnel qui célèbre la Pâque juive. *(N.d.T.)*

** *Passover* : la Pâque, fête judaïque qui commémore l'exode d'Égypte. *(N.d.T.)*

*** *Pisher* (yiddish) : foutriquet. *(N.d.T.)*

génie du système capitaliste : soit on est riche, soit on veut l'être, ou alors on pense qu'on mérite de l'être. »

Rabbit aimait bien Reagan. Il aimait la voix embrumée, le sourire, les larges épaules, cette façon de hocher sans cesse la tête durant les longs silences, cette façon de flotter au-dessus des réalités, convaincu que gouverner n'est pas seulement affaire de réalités, et cette façon qu'il avait de virer de bord tout en affirmant qu'il maintenait le cap, se retirant de Beyrouth, faisant ami-ami avec Gorby, gonflant la dette du pays. Chose bizarre pourtant, mais sauf pour les clochards et les exclus, sous son règne et dans le monde entier, on avait fini par vivre mieux. Les communistes se désintégrèrent, sauf au Nicaragua, et même là, il parvint à les mettre sur la défensive. Le type avait quelque chose de magique. C'était un faiseur de rêves. « Du temps de Reagan, risque Harry, tu sais, on était comme sous anesthésie.

– Tu as déjà eu une opération ? Une vraie opération.

– Pas vraiment. Les amygdales quand j'étais gosse. Et l'appendicite dans l'armée. On me l'a enlevée par précaution au cas où j'aurais été envoyé en Corée. Finalement je n'y suis jamais allé.

– J'ai eu un quadruple pontage, il y a trois ans.

– Je sais, Bern. Tu me l'as raconté et je m'en souviens. Mais maintenant, tu as l'air en grande forme.

– Quand on émerge de l'anesthésie, on souffre comme un damné. On n'arrive pas à croire qu'il est possible de vivre avec une pareille douleur. Pour atteindre le cœur, ils vous ouvrent toute la cage thoracique. Ils vous cassent les côtes, ils vous brisent comme une noix de coco. Et après, ils vous tirent de la cuisse les meilleures veines qu'ils peuvent trouver. Du coup, quand on fait surface, non seulement la poitrine vous torture, mais aussi le bas-ventre.

– Dis donc. » Harry éclate d'un rire incongru, car tandis que sur la voiturette Bernie lui fait la conversation, Ed, avec ce style pompeux et tatillon qu'il a pour adresser la balle, posant un à un ses doigts sur le club comme pour faire un arrangement floral, puis jetant cinq ou six coups d'œil furtifs en direction du trou avant de frapper, à croire qu'il essaie de se débarrasser de toiles d'araignée ou d'une tique qui lui mord le cou, a relevé la tête au moment du swing, de sorte que topée, la balle a filé dans l'eau, ricochant trois fois de suite avant de couler, laissant à la surface trois séries de ronds enchevêtrés, de plus en plus grands. De la bouffe pour les alligators.

« Six heures, je suis resté sur le billard, lui glisse à l'oreille la voix pressante de Bernie. Quand je me suis réveillé, je ne pouvais pas bouger. Je ne pouvais même pas ouvrir les paupières. Ils vous *gèlent*, de sorte que votre flux sanguin est quasiment réduit à néant. J'avais l'impression d'être enfermé dans un cercueil noir. Non. C'était comme si *moi j'étais* le cercueil. Et puis, du fond de cette obscurité, j'ai entendu la voix, une voix tellement bizarre, avec un accent indien à couper au couteau, l'anesthésiste pakistanais. »

Joe Gold, la balle de son équipier dans l'eau, se presse trop de frapper pour mettre une balle en jeu, ramenant en deux temps selon son habitude le club en arrière puis rabattant avec ce swing plat que les types trapus sont enclins à avoir. Il accompagne en push, et du coup, il touche le bunker sur la droite.

Bernie imite une voix pakistanaise, aiguë, saccadée. « “ Ber-nie, Ber-nie ”, dit la voix, si bien que moi, Dieu m'en est témoin, je m'imagine que c'est peut-être la voix de Dieu, “ opé-ration grand suc-cès ! ”

– On garde le même ordre ? » demande Harry. Il a le sentiment de s'être couvert de honte au trou précédent.

« Toi le premier, Angstrom. A mon avis, ça te secoue trop de jouer le dernier. Vas-y. Montre-leur un peu, à ces casse-pieds. »

Exactement ce que Harry espérait entendre. Il choisit un fer 7 et s'efforce de penser à cinq choses : garder la tête basse, empêcher son backswing d'être trop long, déplacer sa hanche à l'apogée, rabattre son swing d'un geste coulé, garder la face du club bien square avec la balle, à ce point de la sphère qui sur un cadran de montre marque 3 :15. A la façon dont en une fraction de seconde la balle disparaît du centre de son champ de vision sans qu'il relève les yeux, il le sait, c'est un joli coup ; tous ensemble, ils suivent des yeux le point sombre qui monte, plane ce petit fragment de temps supplémentaire et fantomatique qui donne la distance, puis dégringole sur le green, un rien trop à gauche, mais, semble-t-il, à la hauteur du drapeau, la balle rebondissant vers la droite en raison de la pente du green en forme de cuvette. L'univers se met à fondre.

« Superbe, concède Ed.

– Pourquoi pas un mulligan ? propose Joe. Cette fois, on t'en accorde un.

– C'était quoi, ton fer ? demande Bernie en s'extirpant de la voiturette.

– Un 7.

– Si tu dois continuer à frapper comme ça, mon pote, t'as intérêt à prendre un 8.

– Tu crois que j'ai dépassé le trou ?

– Et comment ! Tu es sur la bordure. »

Drôle de partenaire. Jamais satisfait. Comme Marty Tothero il y aura bientôt quarante ans. On lui donnait vingt-cinq points, Marty en réclamait trente-cinq et parlait d'adresse foirée. Le côté soldat de Harry, le chrétien masochiste, respecte ce genre d'homme. Une forme de l'amour absolu et dépourvu de sens critique, celui qu'offrent les femmes, qui ramollit et détruit.

« Quant à moi, un 6 chevauché je crois », dit Bernie.

Mais en essayant d'alléger un peu le coup, il le freine trop et tire trop court, la balle survolant l'eau, mais atterrissant sur la berge où le lie est délicat. « Pas facile d'ici le chip », fait Harry, incapable de réprimer une petite pique. Il reproche de nouveau à Bernie d'avoir garé la voiturette si près, quand il a tenté ce hook délibéré.

Bernie encaisse la pique. « Surtout après mon dernier chip foireux, pas vrai ? » dit-il, en hissant son vieux corps tailladé, dégonflé et voûté dans la voiturette, Harry s'étant faufilé sur le siège du conducteur. Le type qui est sur le green a mérité le droit de conduire. Harry sent qu'ils ont le vent en poupe, ils vont les battre à plates coutures, ces balourds. Il glisse au-dessus de l'eau sur l'arche d'un pont en bois aux planches recouvertes de bandes de caoutchouc rouge. « Par rapport à l'endroit où tu es, lui dit Bernie comme ils descendent, le green descend. Force trop ton putt, tu te retrouveras des milles trop loin. »

Avec une balle dans l'eau, Ed est hors jeu. L'adresse de Bernie sur la berge escarpée est si maladroite que la première fois il frôle la balle, la talonne au coup suivant, et la décolle. Mais Joe Gold, le blond-roux, dans son élément, trépigne pour assurer sa posture, et réussit une bonne sortie en explosion du bunker. La mise en garde de Bernie lui tracassant toujours l'esprit et contredisant son instinct, Harry frappe timidement la balle de son long putt d'approche et manque le trou d'un bon mètre. Il la marque avec un marqueur du Valhalla Village tandis qu'en deux putts Joe fait son bogey. Joe ne se presse pas, laissant à Harry trop de temps pour réfléchir à son putt d'un mètre vingt. Il voit une pente latérale, puis ne la voit plus. S'efforçant de ne pas déborder sur la gauche comme il l'a fait au dernier trou, il gâche son par putt, très faisable, de deux centimètres sur la droite. « Enfant d'enfant de *salaud,* dit-il, la frustration pressant si fort sur ses rétines qu'il redoute de fondre en larmes. J'atteins le green en un coup, et puis un trois-putt de merde.

– Ce sont des choses qui arrivent », dit Ed, en inscrivant le 4 avec son air guindé de comptable professionnel. « Égalité.

– Désolé, Bern, fait Harry, qui regrimpe dans la voiturette côté passager.

– Je te l'ai bousillé, se lamente son équipier. J'aurais mieux fait de fermer ma grande gueule au lieu de te dire que le green était en aval. » Il défait un nouveau cigare et, enfonçant la pédale, se cale contre le siège en prévision d'une longue journée.

Ce n'est pas le jour de Harry. Là-haut le soleil de Floride évoque moins une présence unique qu'une batterie de lampes à arc dont le flot persistant de lumière blanche vous traque de partout. Même à la verticale des palmiers et plaqués au pied des clôtures en pin hautes de quatre mètres qui séparent le Village du reste du monde, le soleil vous débusque, rougissant le bout du nez de Rabbit et rôtissant ses avant-bras et le dos de sa main non gantée, déjà piquetée de petites bosselures blanches de kératose. Il fourre toujours un tube d'écran total, du 15, dans son sac de golf et n'arrête pas de s'en enduire, ce qui n'empêche pas les ultraviolets de filtrer, de griller ses squames dont un jour les cellules dégénéreront en cancer de la peau. Les trois hommes avec lesquels il joue ne se passent jamais rien et se contentent d'un confortable bronzage, même la calvitie de Bernie, lisse comme un œuf d'autruche piqueté de rares petites taches quand, se penchant pour adresser ses balles, il bloque ses pieds dans cet horrible stance en marche arrière. Aujourd'hui, Harry sent l'ineptie sereine, mécaniquement résurgente de Bernie – coups trop courts, coups cochés – comme un fardeau, dans la mesure où il ne peut tout à fait le remorquer, et se demande pourquoi quelqu'un qui, comme Bernie, exsude une douloureuse sagesse, n'apprend jamais rien au sujet du golf et d'ailleurs n'essaie même pas. Pour lui, suppose Harry, il s'agit d'un simple jeu, une manière, à ce stade de sa vie, de tuer le temps au soleil. Bernie a été un petit garçon jadis, puis un homme qui a fait des enfants et de l'argent (une affaire de tapis à Queens ; deux filles qui ont épousé de gentils garçons sérieux, et un fils qui, passé par Princeton et la Wharton School de Philadelphie, est entré comme spécialiste de contre-OPA à Wall Street), et aujourd'hui, à l'autre extrémité de l'arc-en-ciel de la vie, voici ce que cela donne : Bernie subit les joies de la retraite en Floride, de la même façon qu'il a subi sa vie entière, en tétant la même saveur âcre de cigare mouillé. Le jeu ne lui apporte pas ce qu'il apporte à Harry, un sentiment d'infini, une occasion d'infini perfectionnement. Le jeu n'apporte rien à Rabbit lui non plus aujourd'hui. A peu près au onzième trou – un dogleg par 5 qu'il massacre, slicant sa deuxième balle, un bois 4, si brutalement qu'elle échoue dans la courette d'un condo, entre des poubelles en plastique et une dalle en béton hérissée de supports d'étendoir en acier mangé de rouille (un berger allemand enchaîné à l'étendoir le gratifie d'aboiements furieux, se précipite sur lui de sorte que le grillage tendu chante, Gold et Silberstein gloussent en se prélassant dans leur voiturette et Bernie rumine de plus belle, l'air morose) récoltant un 4 pour son drop de hors-limites tandis que le berger allemand aboie de plus belle, essayant de frapper un fer 3, si fort qu'il laboure douze bons centimètres derrière, asperge de sable ses chaussures et en remplit ses chaussettes, expédiant la balle suivante trop à gauche dans un lit d'azalées desséchées et à demi dépouillées, au pied du douzième tee, récoltant un point de plus pour un autre drop, expédiant le chip à l'horizontale de l'autre côté du green (ses trois compagnons maintenant figés dans un silence affreux, stupéfaits, navrés pour lui, à moins qu'ils ne répriment leur jubilation), flanquant au coup suivant la balle tombée dans le sable contre la lèvre du bunker de sorte qu'elle retombe en arrière, et la laissant tomber de dégoût en se cognant le genou quand, après avoir ratissé, il jette le râteau à sable – après ce trou, le jeu et la journée commencent à le ronger et l'enfoncer dans la déprime. L'herbe a un aspect graisseux, irréel, un palmier sur deux se meurt de sécheresse et perd ses palmes brunes et raides, les condos bordent les moindres fairways comme de hauts entrepôts revêtus de stuc, et le ciel lui-même, où d'ordinaire les yeux peuvent se délasser, est souillé par les sillages des jets qui s'étalent et errent pour finir par se confondre avec les nuages purs de Dieu.

Les heures s'accumulent, midi arrive et passe, les projecteurs commencent à faiblir, mais la chaleur monte encore. Ils arrêtent à trois heures moins le quart, Harry et Bernie ont perdu vingt dollars – les deux parties d'un nassau de cinq dollars plus les dix-huit et une pénalité sur le deuxième neuf qu'ils ont perdu. « La prochaine fois, on les aura », promet Harry à son partenaire, sans vraiment y croire, d'ailleurs.

« Tu n'étais pas vraiment dans ton assiette aujourd'hui, mon vieux, concède Bernie. T'as des problèmes avec ta petite amie, ou quoi ? »

Au cours des trente ans et six mois que couvre mon quatrième roman, Ronnie Harrison, l'ancien coéquipier de Rabbit du temps où ils jouaient au basket au lycée, revient le hanter de façon troublante : « une présence qu'il ne pouvait éviter, un aspect de lui-même qu'il refusait d'affronter ». Leur ancienne animosité a refleuri de plus belle avec la liaison prolongée mais épisodique de Harry et de Thelma, l'épouse de Harrison. Un peu plus tôt durant l'été 1989, de retour en Pennsylvanie, Rabbit a dû subir une angioplastie ; quant à Thelma, elle est morte d'un lupus érythémateux.

Août *, lourd et étouffant au milieu du mois, pare maintenant l'été d'une pureté étincelante, d'une ultime clarté. Au Flying Eagle les fairways, d'habitude grillés en cette saison et aussi durs que les allées des voiturettes, sont encore verts en raison des pluies abondantes, à l'exception du rough envahi de bourdaine avec çà et là un jeune érable fuselé qui commence à virer au jaune. Ce sont les jeunes arbres qui virent les premiers – plus vulnérables, plus à l'unisson. Plus craintifs.

Quand il décoche son swing, Ronnie Harrison

* Scène extraite de *Rabbit en paix*, trad. Maurice Rambaud, Gallimard, 1993, pp. 492-498. *(N.d.T.)*

frappe toujours comme un forgeron : back-swing court, vilain follow-through tronqué, parfois ponctué d'un grognement au milieu. Désormais inutile au parc, en quête d'un partenaire s'il tient à se remettre au golf, Rabbit s'est souvenu de ce qu'avait dit Thelma, ses frais de médecins les avaient contraints à démissionner. Au téléphone, Ronnie avait paru surpris – Harry s'était lui-même surpris en composant les chiffres familiers programmés dans ses doigts par sa défunte liaison – mais, chose étonnante, Ron avait accepté. Peut-être étaient-ils en train de faire la paix, devant le corps de Thelma. Ou de ressusciter une vieille amitié – pas une amitié, une relation – qui datait de l'époque où, petits garçons en culotte de golf et baskets à tige montante, ils détalaient par les ruelles caillouteuses de Mt. Judge. Quand il arrive à Harry de repenser à ces années, aux yeux ternes et au visage querelleur et lippu de Ronnie paradant, menaçant dans la cour de l'école, à Ronnie braillant de joie en tripotant sa grosse bitte blême comme un concombre (circoncise, et plutôt plate sur le dessus) dans les vestiaires, puis à Ronnie avide de réussite et de drague traînant célibataire dans Brewer, un de ceux qui en fin de compte étaient sortis avec Ruth avant Rabbit, Ronnie toujours en ce temps-là à faire le malin et à raconter des histoires dégueulasses, un lèche-bottes, et plus tard Ronnie marié à Thelma et employé par Schuylkill Mutual, un genre de pauvre mec, un bosseur obstiné, toujours à baratiner, à évoquer « les êtres chers », et « le jour où vous ne serez plus parmi nous », devenant insensiblement cet homme chauve au sourire triste de la photo posée sur la coiffeuse de Thelma, dont Harry croyait sentir le regard lui reluquer le cul, au point qu'un jour et au grand amusement de Thelma il avait sauté du lit pour poser la photo à plat sur le haut de la commode, et que par la suite quand il venait l'après-midi, elle la tournait toujours avant son arrivée, puis à Ronnie veuf, avec un visage de pruneau décoloré, des rides comme étirées sous les yeux, et une peau mince de vieux plus rose sur les pommettes, Harry a l'impression que Ronnie est depuis toujours avec lui, une présence qu'il ne pouvait éviter, un aspect de lui-même qu'il refusait d'affronter, mais qu'enfin il affronte. Cette bitte grosse comme une trique, ces blagues vaseuses, les yeux bleus qui lui reluquaient le cul, et merde après tout, nous ne sommes jamais que des humains, des corps munis de cerveaux à un bout, le reste n'est que de la tuyauterie.

Leur première partie, jouée en duo, est un moment tellement agréable qu'ils en prévoient une autre, puis une troisième. Ronnie a conservé ses vieux clients, mais il ne travaille plus sur le terrain pour prospecter parmi les jeunes maris et, à condition de prévenir un peu à l'avance, il peut prendre un après-midi de temps en temps. Leur jeu est rouillé et fantasque et la partie ne se décide en général qu'au dernier ou à l'avant-dernier trou. Le beau grand swing souple de Harry enverra-t-il la balle atterrir sur le fairway ou dans les bois ? Ronnie lèvera-t-il la tête et ratera-t-il un chip facile, expédiant sa balle de l'autre côté du green dans un bunker, ou gardera-t-il la tête basse, mains en avant, et logera-t-il la balle tout près, sauvant ainsi un par ? Les deux hommes ne parlent guère, de peur de raviver entre eux l'animosité ; le spectacle de l'autre en train de cafouiller est tellement désopilant et gratifiant que l'on pourrait croire qu'ils s'aiment. Jamais ils n'évoquent Thelma.

Au dix-septième, un long par 4 avec environ cent quatre-vingts mètres plus loin un ruisseau, Ronnie tire trop court avec un fer 4. « Drôlement foireux ce coup-là », commente Harry, qui à son tour frappe avec son driver. Se concentrant pour garder son coude volage, le droit, près du corps, il cueille joliment la balle en dépassant d'une trentaine de mètres le ruisseau. Ronnie, pour compenser, force trop au coup suivant : contraint de prendre un bois 3, il lobe un énorme boulet dans les pins du fairway face au Mt. Pemaquid. Ainsi soulagé de toute tension, Rabbit se dit : « *Et maintenant mollo* » en prenant son fer 6 et expédie une balle superbe qui disparaît en plein dans le green, comme engloutie par un tuyau de drainage. Son par le laisse avec un point d'avance, aussi est-il impossible qu'il perde, il lui suffit d'un ex-aequo sur le dernier trou pour gagner. En veine d'épanchements tandis que la voiturette les emmène au dix-huitième tee, il dit à Ronnie : « Que penses-tu de Voyager Deux ? Pour moi, c'est un exploit beaucoup plus extraordinaire que de mettre un homme sur la Lune. Je lisais un truc hier dans le *Standard*, d'après un savant, c'est comme vouloir de New York loger un putt à Los Angeles. »

Ronnie grogne, en proie au dégoût du golfeur qui vient de perdre.

« Des nuages sur Neptune, reprend Rabbit, des volcans sur Triton. A ton avis, ça signifie quoi ? »

Peut-être un de ses partenaires juifs de Floride aurait-il eu un point de vue original sur les faits, mais ici, en pays Dutch *, Ronnie lui décoche un regard morne et soupçonneux. « Pourquoi cela signifierait-il quelque chose, Votre Honneur ? »

Rabbit se sent caressé à rebrousse-poil. Ce type, on essaie d'être gentil avec lui, il vous snobe. Un sale con, il l'a toujours été. On lui offre le système solaire comme terrain de réflexion, il s'en balance. Son grossier cerveau l'anéantit. Harry trouve une superbe démesure dans les faibles mais fidèles émissions que le grêle engin fuselé diffuse à travers des milliards de milles, comme une grâce en harmonie avec la beauté démesurée de cette cristalline journée de fin d'été. Il a besoin de glorifier. Ronnie doit lui aussi connaître ce genre de besoin, sinon Thelma et lui n'auraient pas fréquenté l'entrepôt d'une église anonyme. « Ces trois anneaux, personne ne les avait jamais vus, insiste Harry, de simples traces de crayon » ; un écho de la terreur de Bernie Drechsel stupéfait par la minceur des pattes des flamants roses.

Mais Ronnie s'est éloigné, et là-bas près du laveballes, il feint de ne pas entendre et enchaîne une série de swings d'entraînement rageurs, impatient d'attaquer le trou et de rattraper sa piètre performance antérieure. Déçu, distrait à la pensée du vaillant Voyager, Rabbit laisse son coude droit traîner au sommet du

---

* Pennsylvanie de l'Est. *(N.d.T.)*

backswing et coupe mollement la balle, l'expédiant en slice, selon une courbe si étrange qu'on la croirait conçue par un ordinateur, sur la droite du fairway, dans le bunker au milieu de la bourdaine. Le dix-huitième est un par 5 qui au retour flirte avec le ruisseau, mais devrait être un par facile ; à la grande époque de son golf, il s'en était plus d'une fois tiré par un birdie. Pourtant, il lui faut s'extirper latéralement du bunker avec un wedge et ensuite utiliser son fer 3, pas son meilleur club certes, mais il a besoin de la distance, un grand coup, exagérant l'effort comme tout à l'heure Ronnie au dernier trou, et se retrouve dans le ruisseau où il récupère en fin de compte sa Pinnacle jaune sous une plaque de cresson. Le drop lui prend un autre coup et dans son avidité de réussir avec son fer 9 à toucher en plein le drapeau, il le loupe, de sorte qu'il se retrouve avec cinq dans la frange épaisse sur la gauche du green. Ronnie avance tant bien que mal, décochant de vilaines balles basses avec son swing de forgeron, mais sans anicroche – il arrive sur le green en quatre, de sorte que Rabbit ne peut qu'espérer réussir un chip-in. Le lie est herbeux et il rate, oubliant comme un idiot et un golfeur foireux de la pire espèce de frapper vers le bas la balle qui se déplace tout au plus de soixante centimètres et s'immobilise à son sixième coup au ras de la bordure du green, tandis que Ronnie a deux putts devant lui pour gagner le trou, d'une façon merdique, très merdique. S'il y a une chose que Harry déteste, c'est de perdre sur un bogey. Il ramasse sa Pinnacle et, d'une chandelle bien envoyée, catapulte la balle dans le bosquet de pins. Dans sa poitrine quelque chose n'a pas apprécié le grand geste, mais c'est avec une sorte de bonheur suprême qu'il voit la cruelle petite sphère disparaître dans le lointain avec un sifflement ponctué d'un bruit mat. La partie se solde par un match nul.

« Donc, pas de rancune, dit Ronnie dont le putt, sur trois mètres soixante, a fini assez près pour qu'il ait droit à un gimme.

– Bonne partie », grommelle Harry, résolu à ne pas tendre la main. La honte de sa déconfiture lui colle à la peau. Qui prétend que l'univers ne baigne pas dans la honte ?

Tandis qu'ils transfèrent balles, tees, gants imbibés de sueur dans la poche de leurs sacs, Ronnie, maintenant à son tour en veine d'épanchements, se lance : « T'as vu hier soir, à l'émission de Peter Jenning, tout à la fin, ils ont montré les photos des anneaux et de la Lune en train de s'éloigner, puis un montage des divers clichés de Neptune, projeté sur un ballon et monté sur pivot, de sorte que la planète tout entière était là, comme un jouet ? Incroyable, concède Ronnie, ce qu'on arrive à faire avec l'infographie. »

Une image que Harry trouve quelque peu écœurante, Voyager en train de prendre ces ultimes clichés de Neptune puis s'enfonçant dans le néant, pour toujours. Comment se représenter l'immensité du néant ? Les sacs alignés dans le râtelier près de la boutique projettent de longs traits d'ombre. Les journées raccourcissent. Harry a soif et rêve d'une bière sur le patio du club, à l'une des tables en terrasse, sous un grand parasol vert et blanc, à côté de la piscine grouillante de gosses qui se jettent à l'eau comme des boulets et de nénettes en fleur, tandis que le soleil rouge sombre derrière l'horizon immense du Mt. Pemaquid. Avant de mettre le cap sur les bières, les deux hommes se regardent bien en face, par mégarde. Cédant à une malencontreuse impulsion, Rabbit demande : « Elle te manque ? »

Ronnie lui décoche un coup d'œil acéré. Sous ces cils blancs, ses paupières ont l'air à vif. « Et toi ? »

Pris au piège, Rabbit a du mal à feindre que oui. Il avait usé de Thelma, puis elle avait fini par être usée. « Bien sûr », fait-il.

Ronnie éclaircit sa gorge râpeuse puis, s'assurant que la fermeture à glissière est bien tirée, accroche son sac à son épaule pour l'emporter jusqu'à la voiture.

« Bien sûr que oui, dit-il. Un peu de sincérité, voyons. Tu n'en as jamais rien eu à foutre. Non. Excuse-moi. Du foutre, c'est exactement ça que tu lui réservais. »

Harry est piégé par un dilemme impossible – lui avouer à quel point il aimait se fourrer au lit avec Thelma (sous l'œil de la photo souriante de Ronnie) ou affirmer le contraire. Il se borne à répondre : « Thelma était une femme adorable.

– Pour moi, lui dit Ronnie, renonçant à son attitude belliqueuse et assumant son long visage de veuf, on dirait que le plancher de l'univers s'est effondré. Sans Thel, je me contente de faire semblant. » Sa voix est devenue tout enrouée, répugnante. Quand Harry l'invite à l'accompagner sur le patio pour prendre une bière, il refuse : « Non, je ferais mieux de rentrer,

Junior et sa nouvelle trouvaille m'attendent ce soir pour dîner. » Quand Harry essaie de fixer une date pour leur prochaine partie, il élude : « Merci, vieux, mais c'est toi qui es membre ici. C'est toi qui as une femme riche. Tu connais les règles du Flying Eagle – on n'a pas le droit d'amener toujours le même invité. De toute manière, c'est bientôt Labor Day. Je ferais mieux de reprendre le collier, sinon Schuylkill finira par croire que c'est moi qui suis mort. »

*Il n'aura pas non plus échappé aux initiés que les médecins qui accompagnent Harry sur le terrain de sa maladie cardiaque offrent une certaine ressemblance physique avec de célèbres golfeurs : les docteurs Breit et Raymond qui procèdent à l'angioplastie de Rabbit sont inspirés de Tom Kite et de Raymond Floyd ; quant au Dr Olman, de l'hôpital en Floride, il est croqué d'après un autre émigré australien, Greg Norman. L'interne de Rabbit en Floride – qui lui prescrit les promenades et de reprendre goût à la vie – est un vieil Écossais grincheux, le Dr. Morris, dont le fils, le jeune Tom, attend de reprendre la pratique *. Quant au vieux beau de Pennsylvanie échoué au Valhalla Village, c'est une figure familière dans le milieu des champions.*

---

* L'Écossais Tom Morris senior et son fils, le « jeune Tom », furent, au XIXe siècle, les premiers et mythiques champions de l'histoire du golf. *(N.d.T.)*

Un beau parcours avec Tom Marshfield

Marshfield est un prêtre de quarante et un ans qui, dans mon roman Un mois de dimanches, *se trouve condamné à un mois de confinement thérapeutique dans un institut spécialisé ; cet établissement, situé en plein désert, se voue à la réhabilitation des clergymen déviants. Marshfield s'y voit prescrire la discipline suivante : le matin, écriture,* ad libitum *; l'après-midi, exercice physique, de préférence le golf, quoiqu'on puisse aussi pratiquer l'équitation, la natation ou le tennis ; le soir : jeux de société ou de cartes, de préférence le poker. Il semble que la directrice de l'institut, Ms. Prynne – grande femme aux cheveux noirs –, lise les entrées que Marshfield consigne dans son journal intime : celui-ci se met à transférer, sur la personne de l'impressionnante directrice, les nombreuses idylles avec des paroissiennes qui ont perturbé son ministère et peu à peu, il va tomber amoureux d'elle, sa lectrice idéale. Tous les autres patients de l'établissement sont des hommes d'Église ; c'est parmi eux que Marshfield trouve ses partenaires de golf : Woody, un prêtre musclé, en révolte contre sa hiérarchie par fidélité à la messe en latin ; Jamie Ray, un prédicateur du Tennessee convaincu de pédérastie ;*

et Amos, un pasteur coupable d'incendie volontaire, comme on le verra plus bas. Le texte qui suit constitue le vingt-troisième chapitre du roman – c'est-à-dire l'entrée que Marshfield consigne dans son journal au vingt-troisième jour de son mois de dimanches.

Mal dormi la nuit dernière *. La perspective du retour me consumerait-elle déjà ? La première semaine, j'avais peine à fermer l'œil, me semblait-il ; je restais allongé la tête enfouie dans un bourdonnement solitaire et feutré qui se déplaçait vers l'ouest à 550 milles à l'heure, à une altitude de croisière de 34 000 pieds. Puis, grain par grain, ce lieu cessa de se mouvoir, il devint un *lieu*, et maintenant le danger est qu'il soit devenu l'*unique* lieu. Et que ce récit soit devenu l'unique récit, et toi, mon lecteur, mon unique amour.

Laissez-moi vous raconter quelques histoires de golf. Au cours de la première semaine de mon séjour, alors que les contours du parcours ne s'étaient pas encore imprimés en gouttelettes brillantes dans mon cerveau (je pense beaucoup à l'amour, depuis quelques jours, à la haine que m'inspire ce mot, au fait que j'y ai constamment recours, et l'idée me vient, entre autres révélations éphémères qu'apporte l'insomnie, qu'avant d'aimer quelque chose nous devons en fabriquer une sorte de réplique, une mémoire

* Scène extraite de *Un mois de dimanches*, trad. Maurice Rambaud, Folio, 1994, pp. 191-198.

faite d'aperçus et d'instants, qui substitue alors à son existence externe plutôt grise une constellation d'images intérieures, phosphorescentes et hautement mobiles et en fin de compte capables de résister aux grossières attaques de la réalité), je jouais seul, les neuf premiers trous, tandis que mes compagnons regagnaient leurs chambres, leurs pilules, leurs remords, et leurs siestes, et au septième, tandis que d'un côté de l'orchestre, l'immense kiosque du ciel du désert résonnait d'éclats mauve sombre et que de l'autre un pizzicato rose de petits nuages grenus progressait sur la pointe des pieds vers le coup de cymbales d'un couchant embrasé (accrochez-vous, il s'agit de ma thérapie, pas de la vôtre), je dévalai la colline d'un drive solide, mais en push, suivi, malgré un lie médiocre, d'un fer 5 qui, grâce à un coup imprévisiblement heureux, survola très haut le drapeau et manqua le green. Vous vous souvenez, bien sûr, que de ce côté, le tablier forme un petit monticule, au sommet vitrifié par une carapace rugueuse qui à tous les coups menace d'accrocher la canne. Mais une puissance plus grande que celle de mes propres mains prit un fer 7 dans le sac, se représenta le chip avec netteté, joua le swing avec netteté, et regarda la balle jaillir de la tête du club ; elle roula cahin-caha sur les tortillons de vers (la commission des greens fait venir les vers à grands frais par avion du Brésil), heurta le drapeau avec un *Bing* divin et disparut dans le trou. Trois, un « birdie ». Une joie pure, pour la première fois ou presque depuis ce moment où j'avais contemplé le pied nu de Frankie sur la moquette du motel, me soulagea le cœur. Le trou suivant, bien sûr, est ce très court par 3, 110 mètres à peine selon le plan ; je pris un fer 8, optai pour un petit swing détendu et me représentai la balle scintillant près du drapeau. Au lieu de quoi, je la vis partir de travers et plonger dans l'impénétrable talus de sauge et de créosote sur la droite. Le coup suivant connut le même sort. Une Titlist flambant neuve. Je m'octroyai un X sur le trou et regagnai à pas lourds le pavillon. J'avais le visage en feu ; j'avais rencontré le diable. Je m'étais frotté au passage à une vérité redoutable : ce sont les coups bien ajustés qui nous perdent.

Ou, pour présenter cette morale sous une forme plus utile, même un demi-swing exige une rotation du buste.

Et une intention ferme : pouah de la modération.

Le golf est, si l'on peut dire, tout en os, un maître prompt à sévir : un maître dont les leçons flamboient, nettes comme les courbes d'équations binômes, au lieu de rester à jamais cachées, étouffées sous la chair du gâchis de la vie.

Voici une histoire plus humaine et, pour votre héros, plus heureuse. La semaine dernière nous étions notre foursome habituel – moi, Jamie Ray, Amos et Woody. Comme d'habitude Woody et moi portions nos canotiers à un dollar, et comme d'habitude ses drives finissaient quinze mètres devant les miens. Je me demande comment avec de pareilles épaules il a jamais réussi à se fourrer dans une soutane et je ne suis pas surpris que le Vatican ait jugé nécessaire de le mettre au vert. Chaque fois qu'il pense à la messe latine, sa figure devient rouge comme un homard et ses griffes commencent à s'entrechoquer. Il avait hérité de Jamie Ray comme partenaire ce jour-là, ce qui voulait dire qu'il était sûr de gagner dans le jeu d'équipe. Jamie Ray a un swing pitoyable, mais il putte comme un ange ; je me demande parfois si son côté pédé ne lui donne pas du trou une image relativement énorme. Tandis que nous, pauvres amateurs de cons, n'arrêtons pas de déraper, tassés craintifs sur nous-mêmes comme des fœtus qui soudain s'aperçoivent que jamais ils ne parviendront à faufiler leur crâne à travers les sept centimètres de l'orifice pelvien. Amos a dû jadis pratiquer le viol, car il vise l'arrière du trou et tape avec une telle violence qu'en cas d'échec (et ils sont fréquents), sa balle s'arrête deux ou trois mètres trop loin. Je sais, bien sûr, chère directrice, que le problème d'Amos n'avait rien de sexuel. Nous nous sommes tous déboutonnés, en dépit de l'interdiction. Il était pasteur d'une heureuse petite paroisse banlieusarde, église en bois style colonial, tout en piliers et bancs, budget annuel dans les vingt mille, deux cents familles sur les registres, dont peut-être cinquante pratiquaient. La paroisse agonisait allégrement, bon petit poste, pas trop dur pour un sexagénaire, crâne lisse comme un œuf, articulations de plus en plus grippées par l'arthrite, enfants partis travailler à Caracas et Téhéran au service du gouvernement ou des compagnies pétrolières, foi évangélique arthritique elle aussi, stimulée néanmoins par une certaine proportion de Noirs dans le troupeau et un tas de bonnes œuvres pour « la communauté en général ». Soudain, un incendie réduit l'église en cendres. Défaillance de l'installation électrique. Vandalisme imputable aux Panthères ou aux Musulmans noirs accourus du ghetto voisin ? Un éclair perdu lancé par Jéhovah ? Peu importe, dans un grand sursaut de solidarité et de foi en Dieu-qui-nous-soutient, ils décidèrent de rebâtir, et de fait rebâtirent, un chouette petit machin avec autel sculpté en aggloméré de brique couleur crème, en forme de carton à chapeau coiffé d'une épingle dardée vers le ciel. Le seul ennui c'est que l'église était restée vide. Les Noirs avaient estimé que l'argent aurait dû servir à secourir la communauté, les vieux fidèles avaient horreur de la nouvelle architecture, les jeunes s'étaient mis à se retrouver dans les caves pour planer en appelant ça leurs dévotions, et les familles riches qui avaient fourni l'essentiel des fonds ne mettaient de toute façon jamais les pieds à l'église, dans la mesure où, leur implantation remontant à l'époque où la ville se perdait dans la prairie au bout de ses lignes de trams, elles pensaient encore qu'il suffisait aux hobereaux locaux de se montrer à l'office le jour de Noël pour s'acquitter pleinement de leurs devoirs religieux. La femme d'Amos et le petit Coréen qu'ils avaient adopté assistaient aux offices, tandis que certains jeunes de la ville qui se croyaient possédés forçaient la nuit la porte de l'église pour faire sur l'autel des choses qui laissaient des taches noires et humides, et que les adeptes du yoga et le club de volley prospéraient à l'étage ; mais ça ne suffisait pas à Amos. Le vide, le silence, les hypothèques à payer, la médiocrité de la finition et des matériaux du nouvel édifice, la drôle d'odeur les jours de pluie – tout ça avait eu raison de lui. Un samedi soir, son bedeau le découvrit près de la chaudière occupé à tremper des journaux dans l'essence, et le voici parmi nous.

Mais vous connaissez cette histoire, et j'avais commencé à vous en conter une autre. Golf. Golf, vol, bol, obole, idole, nous, gnous, anus, Amos. Huit coups, en carottant un peu et d'un seul putt. Le golf d'Amos présentait une particularité : quel que fût le club dont il se servait, la trajectoire de la tête était la même – basse et plate comme un crâne. Mais il était régulier, abonné au bogey, ce qui me laissait libre (libre ! un mot à clouer au pilori à côté d'amour : l'un est un anarchiste, l'autre un fornicateur) de tenter le par. Malgré tout, face à un champion du putt et à un gros cogneur, quel espoir avais-je ? Fichtrement peu. Un vestige symbolique. Woody me menait par quatre trous et il en restait trois à jouer. Au quinzième, il coiffa sa balle qui plongea dans la mare. *« Unum baptisma in remissionem peccatorum »*, lui dis-je, et tirai court avec un fer qui me valut un petit cinq peinard. Encore trois et deux à remonter. Coussin confortable, impliquaient ses épaules indifférentes à la petite banderille encore vibrante de mon latin. A moins qu'il ne l'eût ressentie comme une inutile bouffée du souffle divin, car maîtrisant mal son élan sur le spacieux seizième fairway, il coiffa la balle ; elle s'enfouit dans un terrier de chien de prairie. Ou du moins, elle disparut, dans la frange de broussailles en bordure de l'arroyo. Nous passâmes tous les quatre dix minutes à tourner en rond, un peu comme de vieilles femmes qui ramassent du bois mort dans un terrain vague, avant de renoncer. « *Qui tollis peccata mundi* », consolai-je mon clérical adversaire, et complaisamment (je l'avoue) expédiai ma propre balle, d'un chip quelconque mais sûr, en plein sur le green, ce qui me valut un autre bogey gagnant. Jamie Ray avait fini par s'empêtrer dans un bunker, et Amos toucha l'arrière du trou en plein centre, ce qui fait que du même coup nous économisâmes quelques sous sur la dette de notre équipe. Woody sentait le monde lui échapper ; tandis que tee par tee nous nous rapprochions du dix-septième trou du par 3, je vis pour la première fois poindre en lui le soupçon qu'il risquait de voir complètement s'évanouir son avance. Il était secoué, j'étais excité ; le latin avait porté, ouvrant en lui des vannes d'*excessus.* Il me surprit désagréablement en expédiant un fer 6 au beau milieu du green, qui descend en pente douce vers le couchant, la Californie, et la Mer de la Paix, qui saille vers l'infini comme une prunelle nue. Mon propre fer 5 prit un départ heureux et parut, contre l'écran du soleil, glisser jusqu'à la lisière droite du green. Ni Amos ni Jamie Ray n'avaient d'ennuis. Louange à Dieu.

Il convient ici de descendre les marches d'un escalier de schiste orange. La lumière était si belle, nos boissons du soir si proches, notre tournoi si divertissant – mollement suspendu entre nous comme un petit enfant béat dans une couverture dont chacun de nous tenait un coin – que tout joyeux, nous parlions haut et qu'une fois sur le green, moi, le premier à putter, levai les bras et entonnai : « *Pleni sunt coeli et terra gloria tua.* » Peut-être serez-vous ou ne serez-vous pas surprise de savoir, ma ms.térieuse Ms. qu'ils m'ont breveté le pitre du groupe.

Sans pitrerie, pourtant, je me représentai si fermement la ligne de mon long putt qu'il devint dans mon esprit un Idéal platonique, aussi hyperréel qu'un pouce carré de Sirius le serait sur la terre, ceci dans la fraction de seconde avant que son poids ne fît s'effondrer la table d'auscultation et n'ouvrît un petit tunnel carré bien net jusqu'en Chine ; et je frappai et, si elle ne se logea pas dans le trou, elle s'en approcha suffisamment pour me valoir un gimme, ce qui de quinze mètres n'est pas mal. Woody, empourpré par l'éclat du couchant et le souvenir de la Messe parlée comme Dieu avait voulu qu'elle le fût, tira de quinze pieds ; comme on pouvait s'y attendre, son putt dépassa le sommet de la colline de la moitié de cette distance, sur quoi, brusquement consterné, il putta trop court au retour et marqua un minable quatre contre mon laborieux trois. Égalité, et il ne restait qu'un trou à jouer. Nos amis n'en revenaient pas. Je perdais, mais j'étais un faiseur de miracles.

Et bien sûr, je ne perdis pas. Pur, aérien, purgé de toute lie, mon swing propulsa la balle d'un pathétique septième de mille en direction du disque du soleil. Woody, aux abois, mais non découragé, lança un rien plus court, mais droit. Il frappa (Amos et Jamie Ray tapotant à côté de nous comme des hommes qui poussent des cacahuètes du bout du nez) le premier, et une fraction de seconde un nuage étouffa mon sens de la transcendance, quand je vis que sa balle, superbe, avait atterri juste derrière le drapeau, avec tant de force qu'elle rebroussa chemin. Pourtant, par amour pour vous, Ms. Prynne, entre autres, je pris un fer 7, et, du faîte de mon backswing compact et nonchalant, contemplai la balle posée sur son plan cristallin d'herbe et de sable étincelants jusqu'au moment où, plus brusquement que ne fond un flocon de neige, elle disparut. Mon divot fit un bond, ce qui n'arrive jamais. Pour quelqu'un qui se pique d'adorer « descendre » (être, aller, rester), j'éprouve une bizarre répulsion à *frapper* de haut en bas ; je n'arrive pas à croire que la balle se relèvera toute seule. Je ne peux pas croire que la terre continuera à tourner sans moi. Je ne peux pas croire qu'une femme pourrait être heureuse sans moi. Je ne peux pas croire que je ne fais pas exactement quinze milliards d'années-lumière de diamètre et que je ne suis pas bossu comme une selle, etc., etc.

Je permis à ma tête de se relever. Oh, sublime trajectoire de comète de cette canne qui s'inclinait doucement du disque du soleil à demi couché jusqu'au drapeau penché. Je perdis la balle dans le miroitement de la verdure, mais de tous mes os radieux, sentis qu'elle était plus près que la sienne. Et elle l'était. Quelques pas nous révélèrent les balles en ligne avec le trou, la sienne trois mètres trop longue, la mienne un mètre cinquante trop courte. Et toujours ce démon de prêtre, ce mignon de la mère babylonienne des putains, remontait à l'assaut. Son putt, frappé avec une délicatesse toute jésuitique, s'infléchit à l'ultime miniseconde, arrachant à son allié le pédéraste sudiste un grognement pleurnichard. Tandis que ma balle, sur un de ces putts problématiques d'un mètre cinquante, et frappée avec l'excès d'optimisme que m'inspirait la certitude de la grâce, aurait dépassé le côté le plus haut, si un bienveillant caprice de la divine transparence ne l'avait déviée ; elle parcourut en cahotant la moitié du périmètre du trou, mais le bruit de glotte final, il n'y avait pas à le nier. Mon partenaire, le robuste Amos, applaudit. Mon adversaire me contempla d'un regard brouillé à travers le pare-brise fracassé de sa foi en morceaux. « *O salutaris hostia* », le hélai-je, et me sentis irradié par la joie céleste d'avoir vaincu – que dis-je, écrasé, oblitéré – un ennemi.

Demain nous serions tous ressuscités, et jouerions de nouveau.

Le propriétaire de golf

(Dans la série :
« Rencontres avec des Américains méconnus »)

Il est assis dans un cart électrique, non loin du modeste club-house, vêtu de noir. C'est un Grec. Après tant d'années passées en Amérique, pourquoi persiste-t-il à n'acheter que du noir ? Son chapeau est noir ; sa chemise est noire ; et noirs ses yeux, que l'âge rend désormais un peu larmoyants, noirs ses souliers et leurs lacets. Jusqu'à son visage que grêle une ponctuation éparse de petites marques noires. Son sourire est magnifique ; il semble engloutir le monde tout comme sa main enveloppe la vôtre. Beaucoup de petites dents grises, sans doute vraies. Dans ce sourire-là se retrouve un peu de l'antique union entre tragédie et comédie.

A quand remonte son antiquité à lui ? Voici vingt ans, lorqu'on débutait au golf, il siégeait déjà là. A l'époque, c'était son fils qui officiait sur le tracteur et sa tondeuse attelée, passant et repassant sur les fairways comme un amant aux caresses méthodiques ; désormais, c'est son petit-fils. Autrefois, du temps d'Homère, c'était sans doute lui, Theodoros, qui officiait au tracteur. Mais ces temps épiques sont difficiles à imaginer.

D'où il est assis, l'œil embrasse les deuxième, troisième et neuvième trous, ainsi que le tee du quatre où plus d'un joueur, cédant aux sirènes de ce vaste dogleg gauche et en descente, aura fini en hook dans le marais. Sur la crête, un serpent de joueurs tord ses anneaux. Les voilà saisis de profil, une frise contre le ciel, avant qu'ils ne pleurent leurs balles, n'empochent leurs tees et ne descendent avec leurs chariots vers les régions souterraines. Le cinq, le six, le sept et le huit sont cachés à nos yeux, mais les hommes aux culottes éclatantes finissent par reparaître le long du neuvième fairway, comme une armée en déroute qui traînerait ses bagages. Leur odyssée s'achève par un échange rituel avec le propriétaire, lequel possède la faculté première des figures mythiques, la faculté d'attendre, d'attendre des décennies s'il le faut, que sonne l'heure prédestinée de l'aventure.

Q : Comment ça va, Teddy, comment ça va ?
R : Pas très bien, John, pas très bien.
Q : Belle journée, non ?
R : [*Il hoche la tête*]

On parlera du temps qu'il fait, de comment va la santé, mais étrangement, jamais de golf. Que connaît-il au golf ? Parmi les mystères qui irradient tandis que, de ses habits noirs, il détrempe le soleil, il y a :

Q : Comment en est-il venu à acquérir ce terrain exploité de façon si frivole ?
Q : En tire-t-il un réel profit ?
Q : D'où vient le génie grec de l'acquisition ?

Ces questions ne reçoivent pas de réponse et les saisons se succèdent : printemps (bourrasques, greens inégaux, drives grattés), été (lotion antimoustique, balles perdues), automne (rosée matinale, plumes d'oie, fairways recuits, roulements fabuleux). Le tracteur passe et repasse, ciselant les contours du terrain. Teddy prend de l'âge. Dans son cart, il rapetisse, sa poigne se fait fiévreuse, ses yeux s'embrument ; il disparaît. L'hiver venu, on entend dire qu'il a eu une attaque. Les spéculations vont bon train. On va vendre le parcours ; un gigantesque lotissement prendra sa place.

Au printemps, les golfeurs reviennent, munis d'imperméables à taquets. Mais lui n'est pas là. Le cart électrique est vide, comme le trône d'Agamemnon. Arrivent les pissenlits, s'enfuient les malards, voici les orages d'août. Soudain, il est de retour. Ses habits noirs tirent désormais vers le gris, ses traits ont la couleur de ses habits. Il sonde vos traits d'un œil presque aveugle, ses doigts sans force enveloppent la main qu'on lui tend.

Q : Comment ça va, Teddy, comment ça va ?

R : Τις δ' οἰδεν εἰ το ζην μεν ἐστι κατυανειν, το κατυανειν δε ζμν κατω νομιζεται *.

Q : On vous a cru mort. Quel est votre secret ?

R : [*Désigne d'un geste le parcours*] **

---

* Traduction : Qui sait si la vie est la mort, si la mort n'est pas considérée comme la vie dans le monde inférieur ? (Euripide)

** Traduction : Il ne mourra pas. Il est la terre, et la terre ne meurt pas.

Le golf populaire

Il n'y a pas de sport – sinon, peut-être, le polo – qu'on associe plus étroitement au capitalisme et à l'oppression que le golf. Voici des années, j'ai certes joué six trous du seul parcours encore ouvert en Roumanie, sous l'œil d'un antique pro qui avait été autrefois le caddie du roi Michel ; mais cette exception mise à part, on ne peut guère trouver un seul terrain de golf dans le monde communiste et la Chine, qui vient d'annoncer la mise en chantier de plusieurs parcours sur son territoire, annonçait surtout sa sécession d'avec ce monde *. Pendant la Dépression, le cinéma hollywoodien montrait de riches messieurs se pavaner de greens en smokings et, encore à ce jour, le golf, que ce soit dans les magazines spécialisés ou aux tournois télévisés, a gardé des échos de luxe, d'herbe lustrée, de club-houses somptueux, de messieurs grisonnants, minces et bronzés qui échangent quelques

* Les choses ont bien changé depuis que j'écrivais cet article, il y a dix ans. *Quel* monde communiste ?

conseils sur leur swing tout en causant placements boursiers, le tout dans une atmosphère qui respire l'opulence. A lui seul, le temps qu'exige la pratique du golf implique des vies où l'oisiveté abonde ; quant à l'espace, il suppose qu'une collectivité puisse s'offrir un terrain de la taille de trois domaines agricoles.

Malgré cela, il existe aux États-Unis des centaines d'humbles parcours où des travailleurs, des enfants, des retraités, des ménagères d'un rang modeste s'adonnent à ce sport avec délices. Je connais plus d'un terrain de province où, quand sonnent seize heures dix, l'équipe de l'usine s'entasse soudain sur le premier tee pour jouer en bras de chemise une partie qui ne s'arrêtera que quand la nuit la plus noire aura fait disparaître la balle. Tôt le lendemain matin arrivent les retraités, par foursomes aussi réglés et répétitifs que leurs swings sont prudents, pour l'invariable parcours quotidien. En milieu de matinée survient le contingent du sexe faible, lequel s'est acquitté des plus urgentes tâches domestiques ; les jambes hâlées, le sourire éclatant, elles tirent des chariots pastel, arborent visières et chaussettes mi-montantes et ne concèdent aucun putt sur le green. L'été, ce sont les enfants, de tailles et de silhouettes variées mais de sexe majoritairement masculin, qui refont incessamment le parcours, swinguant un assortiment hétéroclite de clubs rouillés, fouillant d'un air morne les fourrés et le rough à la recherche des balles perdues. Quand la horde du jour transportera plus loin ses débardeurs, ses shorts taillés, ses tennis et casquettes de base-ball, le rough ne sera plus qu'un labour et les tees, des bols de poussière. Mais quelle moisson de plaisirs dans cette exploitation si démocratique d'un terrain ! Moi qui ai appris le golf – ou plutôt, moi qui ai appris que je ne pourrais jamais l'apprendre – sur ces parcours-là, des parcours surpeuplés et sous-entretenus, je peux attester qu'ils recèlent des délices inconnues pour qui n'a jamais foulé que le gazon mou des fairways privés. Citons entre autres :

Les tees artificiels. La balle blanche ressort parfaitement sur le caoutchouc noir du tapis ; d'autre part, pour ceux qui ont tendance à taper derrière la balle, la tête de club bénéficie, sur ce sol élastique, d'un solide rebond, là où le gazon l'aurait amortie. Frapper la balle sur un rebond lui imprime beaucoup d'effet avant – ce qui, sur un fairway miteux et presque à nu, permet de gagner une distance fabuleuse quand bien même le drive gratte.

Des tees cassés à foison sur le parcours, prêts à resservir sur un par 3. L'un des inconvénients du parcours privé est que l'équipe d'entretien le nettoie tous les jours. Si bien que pour jouer un coup de fer sur un départ, il vous faudra prendre un tee tout ce qu'il y a de convenable et le casser vous-même.

On n'a plus à redouter les balles qui s'arrêtent près des têtes d'arrosage, puisqu'il n'y a pas de têtes d'arrosage.

De beaux greens foisonnants, puisque sans arrosage, l'herbe doit rester longue à moins de prendre une consistance craquante de pain grillé. En sorte qu'on pourra jouer un grand putt bien ferme sans rien risquer qu'un gimme si l'on dépasse le trou. Un foisonnement de petites irrégularités – tortillons de vers de terre, marques de pitch non réparées, traces de marmottes et de lapins, etc. – tempère le putting d'une rassurante mesure d'aléatoire. Il en découle une philosophique insouciance que vous ne verrez jamais sur les surfaces impeccables et rapides de l'Augusta National, par exemple.

Des bunkers dont le sable a depuis longtemps disparu, victime de l'érosion. La balle est jouable avec un fer moyen étouffé, comme dans un creux du fairway.

Des fourmilières-bunkers spontanées. Particulièrement fréquentes sur les parcours au sud de la ligne Mason-Dixon, les fourmilières sont considérées par les règles comme zone en réparation. En revanche, les fourmis ne sont pas considérées comme greenskeepers et peuvent être écartées de la ligne de putt.

Les règles d'hiver applicables tout l'été. On trouve toujours à améliorer son lie sur un parcours public accidenté ; et sur la terre durcie, c'est bien le diable s'il n'y a pas une petite motte où jucher sa balle.

Un rough émasculé. Pour augmenter la capacité de terrains souvent surpeuplés, on a réduit le rough à la portion congrue. Seuls le slice le plus prononcé, le hook le plus électrique trouveront un lie plus ardu qu'un bon petit tapis d'herbe.

Les jeux de massacre. Le terrain mis à disposition de l'architecte (si architecte il y a eu) péchant par exiguïté, les fairways sont étroits et s'entrelacent. J'en ai même vu se croiser ainsi que des voies ferrées, ou se confondre à l'horizon comme les parallèles en géométrie non euclidienne. Il est fréquent aussi que vous arrive dessus la balle d'un autre golfeur cependant qu'on répète son swing ou qu'on surveille le vol de sa propre balle. Ce sifflement à votre oreille ne signale pas l'envol d'une caille, ce coup dans votre dos n'est pas dû à la grêle. L'accident de l'autre balle donne un mordant roboratif à un sport qui, pour nombre de ses détracteurs, manque de vigueur ; il a pour autre intérêt de provoquer l'agréable phénomène social de :

La communication inter-foursomes ou : des voix s'appellent sur le fairway. « Je vous demande pardon, mais ce n'est pas ma balle que vous venez de frapper ? – Quelle marque ? – Une Pinnacle jaune. – Une Pinnacle jaune ? Quel numéro ? – Je ne sais plus. Trois, peut-être. – La mienne aussi, c'était une trois. – Est-ce que celle que vous avez jouée portait une petite tache rose ? J'ai talonné la mienne devant le lave-balles. – Je ne sais pas. Je n'ai pas regardé. – Vous auriez dû. – Pour une tache rose ? Franchement, mon vieux... Tenez, elle ne serait pas plutôt là-bas, votre Pinnacle jaune ? – Où ça, là-bas ? – *Là-bas,* vous êtes aveugle ? – C'est vous qui êtes aveugle : ça, c'est un pissenlit. – ... Attention la tête ! – *Aïe !* – Pas de chance, hein. Les gens, je vous jure ; ils auraient pu quand même prévenir. C'est quelle marque, au fait ? – Une Hogan numéro deux... avec le logo d'une compagnie d'assurance. – Dites donc, si vous la jouiez en vitesse ? Le type regarde de l'autre côté, et je vous parie qu'il les a gratuitement. – D'accord, ça marche. [*Il joue.*] Eh bien, bonne journée. – Vous aussi, mon ami. » On comprend que, avec de tels échanges entre deux coups, naisse une camaraderie dont la mesure passe de loin les dimensions du parcours, ainsi que sur un terrain de volley-ball gigantesque.

Cette bonhomie ne s'arrête pas même au dernier trou. Une soif toute terrestre et le sentiment d'une juste lutte récompensent le joueur à n'importe quel niveau. Mais au golf populaire, il n'y aura pas de garçons en uniforme pour prodiguer des toxiques à la terrasse du club-house. Il n'y aura qu'une sympathique cahute, un bocal bourré de balles arrachées à l'étang et portant l'étiquette *3 pour 2 dollars*, quelques Milky Ways rancis dans un présentoir, un tourniquet à sachets de chips, un frigo antédiluvien où s'entassent les boîtes de Coca, de Dr Pepper et même, véritable madeleine de Proust, de lait chocolaté. Peut-être même y aura-t-il une terrasse à moustiquaire où le joueur épuisé pourra s'asseoir, contempler en riant sa carte de score, payer l'enjeu de vingt-cinq cents, regarder les autres rentrer leur balle en trois putts sur le green rebondi du neuf. On change de chaussures dans la voiture ; on se douchera chez soi. L'adhésion ne coûte rien, mais le sentiment d'appartenance est aussi fort qu'à Winged Foot ou Baltusrol. Vous vous êtes voué au golf et vous vous cooptez vous-même.

Le grand méchant boom

Le golf fait recette, proclamait cet automne une page de garde du *New York Times.* Et de citer le directeur de communication de la National Golf Foundation, à Jupiter (Floride) : « En Amérique, le golf est le sport qui connaît la croissance la plus rapide. » Près d'un demi-milliard de parties, près d'un milliard de dollars dépensés en balles, sacs, clubs et chariots. Tous les chiffres s'envolent, que l'on parle des primes dotant les tournois ou des abonnements à *Golf Galore.* Femmes, Noirs, yuppies, tout le monde découvre dans le golf, lisons-nous, « un décor serein, un exercice physique à faible impact et une opportunité sans égale d'interactions sociales ». Plus près de chez moi, le *Globe* de Boston confirme l'ampleur du phénomène. Dans le Massachusetts, un habitant sur neuf pratique le golf, pour un total de onze millions de parties jouées l'année dernière et 371 millions de dollars de recettes, dont plus de 17 millions pour les seules balles. On a dépensé dix fois cette dernière somme en green-fees et 48 millions de dollars en chariots. Un ban pour le golf, devrais-je m'écrier.

Mais à la vérité, je préférerais le voir nettement moins populaire, comme à l'époque où j'ai découvert ce sport, voici quelque trente ans. Car depuis ce temps, dans la région où je vis (le nord de Boston), le nombre des terrains publics est resté absolument le même, et les parcours que l'on jouait comme en un rêve sont devenus de purs cauchemars. Il faut patienter une heure ou plus sur le premier départ, parmi toute une meute de foursomes impatients. Une fois lancé, il vous faut encore attendre avant chaque coup, sauf sur le green, que le groupe qui vous précède en ait fini et, au départ des petits trous, l'embouteillage peut immobiliser jusqu'à trois foursomes. Dans une telle bousculade, les politesses d'antan finissent par imploser. Nul ne pense à faire signe aux suivants que la place est libre, ni à réparer ses marques de pitch sur les greens. De jeunes zombies, délaissant leur télé pour quelques heures, sont venus prendre l'air en débardeur, bermuda hawaiien, sandales de plage ; ils passent comme des bombes sur leurs carts électriques, arrachent au gazon innocent des divots qu'ils ne songent jamais à replacer. Les tees naturels font figure de sentier à bétail au Sahel. La direction a renoncé à remplacer les rateaux brisés ou volés dans les obstacles de sable. Les greens prennent la texture d'une cible pour jeu de fléchettes vue à la loupe. Ce n'est plus de la surexploitation, c'est du pillage.

On ne peut pas en vouloir aux propriétaires,

Remercions-les plutôt de ne pas avoir cédé le terrain à un promoteur pour aller jouir de leurs millions du côté de West Palm Beach. La pression démographique, sur les parcours du Nord-Est américain, est féroce. Quand un nouveau terrain finit par ouvrir, après des années de démêlés avec les autorités locales et les lointains créditeurs, le parcours est si privé, si encombré de résidences qu'on a l'impression, en y jouant, de se promener dans un lotissement immobilier. Ce n'est d'ailleurs pas qu'une impression : il s'agit bel et bien d'une promenade dans un lotissement immobilier. Des hommes qui arrosent leur gazon, des femmes qui claquent la portière du break familial, les bras chargés de courses... On se fait l'effet d'un intrus ridicule. On se croit transporté dans ce vieux dessin humoristique de *Punch,* où en plein désert, un gentleman vêtu d'une culotte de golf, son bois de fairway à la main et suivi d'un caddie en nage, s'adresse à un Arabe monté sur un chameau : « C'est bien la direction de l'obstacle d'eau ? »

En attendant, sur nos fameux parcours publics, le carnage règne. Pour accélérer le jeu des hordes, on abat des arbres, on multiplie les poteaux de limites, on sème du gazon sur les bunkers, les voies goudronnées destinées aux carts encerclent les fairways, les carts eux-mêmes deviennent obligatoires. Le charme du golf pédestre, rude et simple, ne sera bientôt plus qu'un souvenir, comme le base-ball sur sable et le trou d'eau où l'on allait se baigner. Quand je me suis mis au golf – écrivain à temps partiel, j'avais quelques après-midi de libres – je disposais alors d'un confortable éventail de parcours publics pour assouvir ma passion. Il y avait tout d'abord le petit terrain de ma ville, Ipswich, neuf trous entassés dans le coin d'un champ : aucune perspective et l'on avait toutes les chances de se faire toucher par la balle d'un autre. Mais on pouvait y conduire sans honte son fils de huit ans, voire sa grand-mère de quatre-vingts. Le rythme était lent, mais le tracé court ; l'adolescent qui n'avait rien de mieux à faire pouvait s'offrir six parcours par jour, comme mon fils en avait l'habitude avec ses amis. L'exiguïté même du tracé n'était pas exempte de vertus pédagogiques : on y apprenait l'intérêt d'une balle droite suivie, loin devant le green minuscule, d'un chip habile.

A l'échelon suivant sur l'échelle locale, il y avait, trois kilomètres plus loin, le neuf trous plus confortable d'Essex, ville de coquillages et de chantiers navals. Depuis le tee du 4, l'œil embrassait un paysage saisissant de salines et de criques océaniques ; le green du sept se dressait sur une île naturelle, et seuls deux de ses par 4 pouvaient être tenus pour « pépères ». Toutefois à ce point de mon évolution golfique, aucun trou n'était à considérer comme « tranquille » : les jours où je marquais un cent là-bas, puis quatre-vingt-dix, et même une fois, suite à une folle combinaison de swings faciles et de putts heureux, un quatre-vingts, resteront dans ma mémoire comme des moments de bonheur sans mélange. Mon foursome se retrouvait là-bas vers les deux heures. On jouait deux allers, puis on allait boire une bière en grignotant des chips dans une taverne voisine. Nous rentrions vers six heures.

A vingt minutes de route, mais dans une autre direction – celle de Newburyport – un autre neuf trous arborait, comme on lance un défi, ses greens surélevés et deux par 5 qui semblaient se perdre à l'horizon. A Topsfield, un parcours assez récent, le New Meadows, alignait une éprouvante succession de fairways bordés de pins que venait baigner la rumeur de la route one. Dans une autre ville encore, Wenham, c'était un dix-huit trous qu'on avait aménagé au milieu des collines, lequel flattait d'abord la carte de score par un apéritif bouquet de par 3, mais s'achevait sur un retour d'un relatif gigantisme, le long des voies ferrées qui ramenaient nos connaissances moins portées sur les loisirs d'une dure journée de labeur à Boston. Pour les golfeurs qui ne craignaient pas d'affronter une demi-heure de voiture, il y avait des parcours aux noms romantiques : Far Corner à West Boxford, Hickory Hill à la sortie de Dracut, Colonial à Wakefield, où l'on apercevait de temps à autre un joueur des Red Sox * au sortir de Fenway Park.

Et ainsi de suite. Bref, les parcours abondaient ; quand votre situation professionnelle vous permettait d'éviter les week-ends, c'étaient de vrais rêves, et de surcroît pour des green-fees qui ne montaient jamais à deux chiffres. A présent, lorsque je m'aventure, en compagnie de ceux de mes partenaires qui ont survécu au massacre des ans, dans l'un de ces paradis du

* L'équipe de base-ball de Boston. *(N.d.T.)*

souvenir, nous en sommes chassés comme Adam et Ève. Les perspectives d'antan sont éclipsées par les voitures, les ordures non biodégradables jonchent le gazon, même les serpents ont été piétinés à mort.

Sans doute ai-je été gâté. Tandis que je swinguais joyeusement aux confins de la Nouvelle-Angleterre, les golfeurs de Queens couchaient dans leur voiture pour obtenir une place le lendemain matin et les Japonais, jamais à court d'idées, construisaient des driving ranges superposés à Tokyo. Le golf, né sur les links sableux et déserts de l'Écosse, est en train, au même titre que les fermes, la faune et la flore sauvages, ou les anciens terrains de sépultures traditionnels, de perdre sa bataille pour la précieuse surface de notre planète. Les considérations financières forcent les nouveaux parcours à serpenter entre les lotissements locatifs, voire entre les résidences privées de gens effroyablement riches. Pour qui ne peut pas se permettre de tels investissements, il reste le bowling. On peut y jouer même la nuit, et on ne perd jamais sa balle.

J'ai eu la chance de me faire admettre, avant que le boom ne prenne son ampleur véritable, dans un club privé. Il s'agissait alors d'un endroit plutôt décontracté – un vieux parcours miteux où Willie Anderson avait remporté deux U.S. Opens quand ce siècle balbutiait encore. On pouvait faire tout le parcours sans apercevoir plus de deux ou trois maisons, et à peine ce même nombre de groupes. Le greenskeeper en chef était aussi celui qui tondait la pelouse devant la terrasse du club-house. On laissait le soleil et les punaises faire à peu près ce qu'ils voulaient dans la verdure et les canalisations souterraines, que l'on avait posées du temps de Bobby Jones, n'étaient plus qu'oxyde ferrique – mais, tout bien réfléchi, qui aurait pu s'en plaindre ? Par une suave journée d'été, rien ne venait s'interposer entre vous et le par, sinon votre propre ineptitude. Le don du golf à l'esprit, c'est l'espace ; et l'espace, en ce cas précis, jouissait d'une unité organique et d'un taux délicieusement bas de population.

Hélas, le progrès a fini par nous retrouver. De jeunes courtiers tout en muscles viennent parader sur le practice avec leurs bois métalliques. Les membres des autres clubs, quand ils viennent nous voir à l'occasion d'un tournoi membres-invités, se gaussent de notre neuvième green, dont l'herbe est brûlée (j'ai toujours trouvé qu'on y distinguait mieux la balle), et de cette jungle de chênes et de sumacs vénéneux derrière le green surélevé du douze. On a donc chargé un jeune ingénieur *ad hoc*, muni de tout ce qu'il faut comme diplômes d'agronomie, de réhabiliter le parcours. Il s'est acquitté de la tâche en nous installant un nouveau système d'arrosage, lequel a dû réclamer à lui seul plus de tranchées que toute la Première Guerre mondiale. Les cotisations, aussi irrésistiblement que la sève, grimpent à chaque printemps. Les améliorations sont légion : practice couvert, avec filet et gazon artificiel ; ouverture du club l'hiver, à destination de nos nouveaux membres eskimos ; et assez de cours et d'ateliers pour occuper à temps plein six pros adjoints. Le vieux parcours était un trésor : on s'est donné le mot. Souvent, l'été, on se présente à midi dans son vieux pantalon usé et ses Footjoy boueuses pour se voir mis en déroute par un bataillon de patrons en culottes de madras et chaussures Gucci. On apprendra qu'ils ont pris d'assaut le club à l'occasion d'un vague séminaire sur le traitement de données. Bigarrés comme des perroquets, nos cadres invités font vrombir leurs voiturettes et laissent sur les fairways d'émeraude des traces de pneus luisantes.

Tout va pour le mieux, le golf est en pleine expansion et, pourtant, il a perdu quelque chose : la délicieuse sensation d'être seul, dans l'herbe dorée du rough, face à un problème qu'on va résoudre à son rythme. Si, comme l'auteur de cette lamentation, vous tenez le golf pour un exercice aussi bien physique que social et que vous continuez à faire vos parcours à pied, le sac sur l'épaule, convenez qu'il est pénible de devoir se hâter pour ne pas trop faire attendre de jeunes gaillards dans un cart électrique qui vous pressent impatiemment de derrière. Des changements similaires se sont produits au tennis lorsque les revêtements artificiels se sont substitués au gazon et à la terre battue ; ou bien, du jour où l'on n'a plus pu se tenir droit dans ses chaussures de ski.

La technologie ne remplacera pas les dons de la nature. Le golf représentait autrefois une bouffée d'oxygène, mais l'oxygène se fait rare. Comparez les retransmissions des tournois d'aujourd'hui à celles des années cinquante, quand le golf à la télévision se limitait peu ou prou à une charmante émission, *Shell's Wonderful World of Golf*, série de matches arrangés que dominaient les personnalités, aussi décontractées que les swings d'un Sam Snead ou d'un Jimmy Demaret. Désormais, le commentateur s'attache surtout à chiffrer en dizaines de milliers de dollars la valeur de tel ou tel putt. Désormais, ce sont même les dollars qui font la queue.

Le succès gâtera-t-il le golf ? Pour les habitués des parcours publics, je pourrais dire que c'est déjà arrivé. Pour les joueurs des parcours privés, le sport s'en est fait plus mécanique et moins gai. Rupins amoureux du glamour golfique, allez vous faire voir. Mettez-vous donc au ball-trap : les publicités pour les pigeons d'argile valent sûrement des milliards.

La camaraderie du golf – I

Un soir de l'été dernier, nous avions décidé – un de mes partenaires de golf et moi-même, accompagnés de nos épouses – d'aller voir un film d'art et d'essai dont la file d'attente, une fois arrivés devant le cinéma, nous rebuta tant par sa longueur que par sa moyenne d'âge : face aux regards mauvais d'une multitude de jeunes au sexe indéterminé, la tête en chardon arrosé de peinture, nous résolûmes, avec la sagesse des fronts blanchis, de battre en retraite au plus vite. Nous avions englouti des hamburgers au préalable ; comme, d'autre part, la mobilisation des baby-sitters interdisait la solution simple et élégante d'un retour au foyer, il nous restait quelques heures à tuer. Notre odyssée, à travers une zone semi-industrielle blottie contre une étendue marécageuse, nous mena devant un golf miniature aussi désert qu'illuminé, dont les phares minuscules et les petits moulins à eau patientaient, pleins d'une gaieté désespérée, dans la clarté sulfureuse des pièges à mouches qui s'efforçaient d'entamer les réserves inépuisables de la nuit. Pris d'une bouffée grisante d'adolescence retrouvée, nous parvînmes, mon copain et moi, à convaincre nos épouses de jouer dix-huit trous en vitesse avec nous.

Au début, la tenue « art et essai » de ces dames – robes chics et périlleuses semelles compensées – fit un peu tache sur les tees de caoutchouc, les fairways de ciment et les gazons artificiels du petit parcours, mais lorsque toutes les deux eurent rentré de longs putts (ma femme sur le court mais éprouvant deuxième trou, défendu par un moulin à vent ; et son alter ego, du tac au tac, sur le troisième, un astucieux dogleg à droite, qu'elle négocia par la bande pour enfiler un grand entonnoir de fer-blanc) elles entrèrent peu à peu dans la partie. Les cheminées d'usines et les joncs des marais ne tardèrent pas à résonner de nos rires, de nos plaisanteries, de notre plaisir croissant à nous mesurer ensemble. J'éprouvais pour ma part, comme au golf grandeur nature, des difficultés à garder ma balle en jeu ; à plusieurs reprises, je l'envoyai, par-dessus les planches des petites bordures, sur les sentiers de coquillage, allant même jusqu'à en perdre une à jamais dans les entrailles labyrinthiques d'un édifice appelé le Château du Père Noël. Mon copain, fidèle à lui-même, se montrait long au drive mais trop court sur ses putts. « Trop mou ! » m'écriais-je avec ravissement, ou bien je murmurais d'un air inspiré : « Tu avais la direction, mais pas la distance. »

Allez savoir pourquoi, vers le trou onze, nos femmes commencèrent à montrer des signes d'ennui, à parler de piqûres d'insectes et – nous avions, pleins de sollicitude, revu leur stance au départ – de mal de dos. Au terme d'une succession déchirante de sept putts sur un green particulièrement retors, ma femme nous planta là pour aller s'enfermer dans la voiture. L'épouse restante joua quelques trous de plus, mais façon polo, en swinguant de la main gauche tandis qu'elle allait d'un pas décontracté. Sa jupe noire se trouvant fendue jusqu'à mi-cuisse, il est possible que les hommages enthousiastes des camions à ordures de passage (ils étaient en service nocturne) n'aient guère encouragé sa concentration.

Toutefois cette équipée aura su dissiper, jusqu'au trou onze du moins, les interrogations concernant l'homosexualité latente de la camaraderie au golf. Un partenaire, quels que soient son sexe, sa religion, son origine, devient un ami cher qui partage avec nous cette épreuve captivante. Si minces que soient les affinités qui nous rapprochent de nos partenaires en dehors du terrain, nous ne les en aimons pas moins au cœur de la mêlée, quand nous frappons, vacillons, titubons en direction du dix-neuvième trou. Mon premier souvenir d'une telle camaraderie touche d'ailleurs à une vieille tante qui portait aux nues ma puissance débridée tout en m'assassinant par ses chips et ses putts.

La louange ou l'estime mutuelle, à tout le moins la présence d'un témoin muet, constituent l'essence de l'amitié golfique. Le golf en solitaire reste un plaisir aride si l'on ne s'invente pas les bons conseils d'imaginaires compagnons. « Superbe swing », se réjouira l'un d'eux après l'impact ; tel autre, quand une balle catastrophique est allée s'arrêter sur un chemin goudronné, vous réconfortera d'un : « Au moins, tu sais où elle est. » « Le lie n'était pas facile », s'apitoiera le troisième d'un ton lugubre tandis qu'un fer 5 gratté trouve un repos éternel dans le cœur écumant du lagon. Dans le foursome avec lequel j'ai l'habitude de jouer, on procède, après le parcours, à l'élection du « coup le plus épouvantable » – la tentative de sortie en explosion qui a rebondi contre la paroi du bunker, le putt de trente centimètres qui s'est achevé au bord du trou – et le coup, évoqué dans l'humeur philosophe que procure un grand verre de bière, trouve alors un charme qui lui faisait défaut précédemment. En fait, ces plaisirs rétrospectifs comptent tant dans la camaraderie du golf qu'on a parfois l'impression de jouer au futur antérieur et que chaque coup, aussitôt frappé, se nimbe d'un halo de réminiscence. Le golf est un jeu de l'esprit autant que des muscles ; privé de compagnie, il n'offre pas plus d'intérêt qu'un débat philosophique à un seul participant.

Il va de soi qu'un joueur donnera le meilleur de lui-même s'il ne pense qu'au parcours, s'il envisage chacun de ses coups comme une entreprise esthétique très éloignée des affres de la compétition. Se réjouir intérieurement du slice d'un adversaire qui expédie sa balle en pleine forêt, c'est risquer bien souvent de répéter soi-même un slice identique. Les afflictions, au golf, sont contagieuses ; je ne compte plus les fois où j'ai vu tel par 4 facile, massacré dans un surnaturel unisson, être gagné en match-play par le honteux score de six. Sachant qu'un chip et deux putts gagneront le trou, combien de fois ne ratons-nous pas le chip pour atterrir dans le petit rough, ou bien ne forçons-nous pas sur le premier putt pour manquer le putt de retour d'un mètre cinquante ? Non, le golf ne s'apparente pas aux assauts transpirants du tennis ni à l'impitoyable grille mentale des échecs. Un match de golf est une expérience *partagée,* expérience qui participe à la fois de la randonnée, de l'affrontement, de la démonstration, de la leçon de vie. De cette association d'intérêts face au danger surgit une mutuelle sollicitude ; conseils et louanges se dispensent sans mesquinerie au partenaire comme à l'adversaire. La tendance des règles et coutumes du golf, depuis la rude époque des caddies qu'on cravachait et des obstructions jouées, est à une affectation de courtoisie ; on réprime sa toux pendant le swing des autres, on participe à des fouilles désespérées pour retrouver la balle d'un autre et, sur le green, on déploie, pour ne pas couper une ligne de putt, des trésors de politesse qui relèvent de la danse de Saint-Guy. Notre comportement, dans l'idéal, est meilleur ici qu'ailleurs parce que nous sommes plus heureux ici qu'ailleurs. La camaraderie au golf, comme celle des astronautes ou des explorateurs de l'Antarctique, est fondée sur une expérience commune de transcendance ; que l'on soit gros ou maigre, joueur scratch ou bûcheron, nous sommes allés ensemble là où les non-golfeurs ne vont pas.

La camaraderie du golf – II

Beaucoup d'hommes se montrent plus fidèles à leur partenaire de golf qu'à leur épouse ; ce second ménage apparaît aussi plus durable que le premier. La loyauté qui nous unit à nos consorts chroniques du golf acquiert au fil du temps ces accents d'éternité mystique que la cérémonie du mariage invoque non sans espoir, mais souvent en pure perte. Quel est le secret ? Je le verrais volontiers dans la structure : le foursome golfique repose sur des objectifs clairs et restreints qui contredisent les desseins nébuleux, immenses et insatiables du « twosome matrimonial ».

A l'instar du terrain lui-même, la camaraderie du golf est un artifice taillé dans la vastitude de la nature. Elle n'exige que cinq ou six heures hebdomadaires, depuis les salutations rieuses qu'on échange à midi sur le parking, le traditionnel enfilage des crampons dans les vestiaires, jusqu'aux adieux criés au coucher du soleil, quand l'ombre des drapeaux s'allonge. Dans cet intervalle fini se produisent irritations, jalousies, et même des échauffourées, mais miséricordieusement émoussées, amoindries par les nécessaires distances du jeu, les réserves traditionnelles, la courtoisie inhérente au véritable esprit sportif, et la pensée que bientôt tout sera terminé. Comme dans le mariage, il y a un partage ; nous cherchons la balle perdue d'un autre, nous prodiguons de bons conseils pour corriger les défauts de tel autre au swing, nous avançons plus ou moins dans la même direction et, tel un couple au petit déjeuner ou au dîner, nous nous présentons ensemble sur les départs et sur les greens. Toutefois, à la différence du mariage, le golf est une guerre dès le premier instant ; et c'est de cette lutte policée, de ce bain de sang mathématique que naît la camaraderie du golf et que, de semaine en semaine, elle fleurit. Nous tuons ou nous sommes tués ; nous dévorons ou nous sommes dévorés ; la camaraderie du golf s'enracine dans le terreau solide et millénaire de l'inimitié la plus sauvage, sous les plaisants oripeaux des pantalons à damiers et des plus insignifiantes politesses.

Dans de nombreux sports – le tennis, par exemple –, la supériorité d'un joueur sur l'autre est vite établie et ne fait que se répéter de façon monotone. Mais au golf, la compétition garde des charmes inépuisables pour le simple amateur grâce au système des handicaps, qui place en théorie tous les joueurs sur un pied d'égalité et permet au dessous du panier, par un petit revers de fortune, de se retrouver au-dessus. La dimension dramatique d'un tel retournement, ou à l'inverse l'effondrement d'un joueur de bon niveau, ne laisse personne insensible, pas même ceux qui en sont les victimes. « Dramatique » est bien le maître mot ; car le golf fait naître, dans l'arène du foursome, non seulement une guerre mais encore un théâtre. Chaque joueur est investi d'un rôle, d'un personnage bien typé que les aléas de la partie soumettent à d'imprévisibles revers de fortune, tour à tour désopilants, passionnants, héroïques ou déchirants. Nous passons sans répit de la scène au parterre et notre amour mutuel est ce même amour qui soulève les spectateurs pour les comédiens, rehaussé du fait que le projecteur s'allume sur chacun, à mesure que l'honneur lui échoit.

Le plaisir du golf réside donc pour beaucoup dans la familiarité de ses partenaires et dans la confiance que l'on a dans son stéréotype. C'est étrange, mais des années durant, j'ai joué dans un foursome où j'étais considéré comme le meilleur. Pas le meilleur de façon innée, sans doute ; mais un autre membre, dont le swing était plus sûr et qui n'eût fait de moi qu'une bouchée dans la force de l'âge, vieillissait et voyait ses scores succomber à des drives de plus en plus courts et des accès de chipping sénile. Tout à mon rôle de géant minuscule du golf, je me sentais alors la taille haute, le swing facile, le putting infaillible ; de fait, rares étaient les putts que je manquais, la confiance en soi et l'aisance s'avérant décisives au golf. Mais à la même époque, si une vague connaissance m'invitait sur un terrain inconnu, il eût suffi d'un rapide bilan pour me classer pire joueur du foursome ; et je jouais mon rôle à la perfection, forçant trop sur chaque backswing, me précipitant sur chaque downswing, ponctuant mes exploits d'un petit rire cependant que la balle partait en roulé ou en slice vers le rough, le premier bunker ou buisson venu. Ma seule – et morne, je vous prie de le croire – consolation résidait dans la conscience de mon rôle. Peut-être n'étais-je qu'un Caliban, mais du moins savais-je mon texte. Je me rappelle même qu'en une occasion, ayant compensé par une mauvaise frappe un choix erroné de club, je parvins à toucher le green d'un grand par 3 ; je remplis alors, impuissant, les attentes tacites d'un partenaire atterré. Je jouai trois putts de suite et j'échouai une fois de plus à aider notre équipe. Dans le giron confortable de mon foursome habituel, j'aurais placé mon putt d'approche avec une facilité méprisante avant de signer le par sur un tap-in.

Quand je repense à ce cher vieux foursome, dont deux membres sont aujourd'hui morts, je revois le swing impatient de mon partenaire, un mouvement brusque de batteur au base-ball ; je revois son pied droit qui demeurait obstinément rivé au sol, malgré toutes nos objurgations, et l'irrépressible tendance d'un de nos adversaires à lever les yeux et toper sa balle. Il y a dans cette constance du personnage un comique de répétition qui appelle le rire, une sorte de miracle mécanique (essayez donc de toper une balle volontairement ; rien n'est plus difficile) et la preuve d'un ordre inhérent à ce monde. Mais si, d'aventure, notre ami oubliait de lever les yeux et qu'il envoyait donc sa balle siffler dans les airs, nous éclations alors d'un rire qui ne saluait que notre surprise. Qu'elle soit bonne ou mauvaise, il y a de la joie dans un parcours de golf, outre ce curieux sentiment d'intimité qui naît à l'observation répétée de cette étrange action physique : frapper une balle au moyen d'une longue canne courbée. Sans que l'on s'aventure jamais dans les domaines de la politique, de la vie amoureuse ou des convictions religieuses, on a le sentiment de bien connaître son partenaire et ses adversaires.

Dans le quatuor de comédiens-lutteurs où j'ai désormais mes habitudes, je suis catalogué comme troisième meilleur, ou second pire, position agréable qui convient bien à ma nature effacée : on peut, de temps à autre, se hisser à la deuxième place sans que pèse sur vous aucune des responsabilités réelles de l'excellence, et la déchéance inverse offre cette compensation que le quatrième s'en trouve immensément réconforté. Nous sommes dominés, le pire et moi-même, par un ancien champion universitaire dans sa quarantaine, un ascète consommé qui a trouvé, dans la méditation transcendantale assortie d'un régime sans amidon, le moyen de couvrir des distances de plus en plus longues – d'une longueur extravagante, à vrai dire, au point que même ses approches au wedge, volant au-dessus du green, s'aventurent dans des régions rarement visitées – et par un joueur plus vieux et sagace, lequel s'accommode avec une surprenante facilité d'un backswing chaotique et d'une vision médiocre. Homme exubérant, il nous régale d'un commentaire ininterrompu sur les coups qu'il joue. Cela renforce notre impression de passer à la télévision, devant quelque Spectateur cosmique trônant sur son fauteuil au-delà des nuages, des oiseaux qui passent, de la cime agitée des arbres. Nous devenons, mes chers camarades et moimême, le spectacle de l'après-midi ; notre compagnonnage prend la subtile démesure du show-business, de son fond de teint, de ses paillettes, selon que le Sort nous chérit ou nous déserte, que nous tenons fidèlement notre rôle ou que nous nous en écartons pour un moment. Les satisfactions que cultive la pratique du golf sont indissociables de cette impression d'entrer en scène, de figurer au sein d'une vaste et intangible transparence où nul défaut ne peut rester caché, et nul beau coup, ignoré.

Farrell et son caddie

Quand Farrell s'était inscrit avec sept autres retraités, membres de son club de Long Island, pour un séjour de golf d'une semaine en Écosse, il n'avait pas escompté les rapports avec les caddies du Royal Caledonian Links. On les retrouvait chaque matin, de petits hommes voûtés, serrés les uns contre les autres dans la pénombre brumeuse, amas de casquettes en tweed et d'imperméables caoutchoutés, cependant qu'on organisait les foursomes. Après le déjeuner, ils s'agglutinaient de nouveau, dans des grommellements aussi incompréhensibles que des cris d'étourneaux, pour le second parcours de la journée.

Jamais Farrell ne se serait risqué à jouer trente-six trous par jour en Amérique ; mais ici, en Écosse, le golf n'était pas cet à-côté de la vie qui se nourrit d'une énergie marginale : il était la vie elle-même et se pratiquait au cœur même de l'être. Les premiers temps, quand il dut marcher sur ses jambes où l'humidité, voire une nuit agitée, réveillait le souvenir d'une ancienne fracture – survenue quarante ans plus tôt lors d'un match de football universitaire –, Farrell se prit à regretter les glissements soyeux et les virages des carts électriques auxquels il était habitué, cette suspension de tapis volant au-dessus du fairway murmurant ; il regrettait les balles de rechange qui s'entrechoquent dans leur compartiment spécial, les anneaux de plastique où l'on peut ranger en sûreté alcools et sodas, et la présence rassurante, sur le siège voisin, d'un autre golfeur grisonnant, un autre cornichon verruqueux blanchi lui aussi dans la saumure du temps, suant la retenue comme l'exigence de la retenue, et résigné, tout comme Farrell, à une médiocrité golfique qui descendait peu à peu le talus de la décrépitude pour entrer sur le green de la mort.

Ici, pourtant, sur les fairways bordés de bruyères, que l'on tondait aussi ras que les greens de chez lui, mais sans trace de tracteur, et que défiguraient joyeusement les traces et les terriers des lapins nocturnes qui vivaient et se multipliaient derrière les remparts impénétrables des genêts épineux, hauts jusqu'à la taille, l'énergie montait du sol lui-même, comme si les crampons de Farrell avaient établi, au-dessous de l'herbe, un contact avec les esprits primitifs enfouis dans ses profondeurs : il lui semblait pouvoir marcher sans jamais s'arrêter. Le terrain vallonné, dépouillé d'arbres, la proximité de la mer cinglée par le vent, la pluie qui allait et venait avec la soudaineté de la pensée, tout cela composait la matrice originelle du jeu, et les grommellements des caddies ténébreux participaient eux aussi de cette matrice.

Le premier jour, dans la bousculade, une ombre

voûtée s'empara de son sac. Et comme ils marchaient tous les deux sur les traces du premier drive de Farrell (bon contact, mais décrochage à gauche, vers quelques monticules broussailleux), l'ombre grommela, en partie pour elle-même, dans ce concert de hoquets et de coups de glotte qui caractérisent l'accent écossais : « Sandy, ah comme ça qu'on m'appelle. »

Après une hésitation, Farrell répondit : « Moi, c'est Gus. » Son prénom, Augustus, l'avait toujours embarrassé, mais l'abréviation lui semblait pécher par familiarité et au bureau, à mesure qu'il montait en grade, ses collègues s'étaient accordés pour le désigner par ses initiales, « A. J. ».

« Y va falloir maintenant passer au-dessus du deuxième buisson à gauche », reprit Sandy en tendant à Farrell un fer 7. Le green disparaissait derrière les buttes, où de longues herbes brunes blanchissaient par vagues sous les rafales venues de la mer.

« C'est à combien ? » Farrell avait l'habitude des marqueurs de distance, poteaux jaunes ou têtes d'arrosage automatique.

Le caddie tourna un œil méditatif vers un bunker voisin, s'arrêta sur le clignotement d'un feu rouge le long de la voie ferrée, contempla enfin un grand oiseau, mouette ou corbeau, qui luttait contre le vent sous les nuages en lambeaux. « Un cent vingt-six à la bordure, un petit cent trente-sept au drapeau.

– Je ne peux pas faire cent trente-sept au fer 7. Contre ce vent, je n'arriverais même pas à cent trente. »

Mais le poing du caddie, dans sa mitaine de laine, brandissait toujours le club. « Un 7, c'est ça qu'y vous faut. »

Quand Farrell se pencha sur sa balle, une rafale humide lui cingla les yeux et le fit pleurer. Les larmes divisèrent la balle en deux ; il supposa que la plus claire était la vraie. Il s'appliqua à lever sa tête de club lentement, au ras de l'herbe ; il commença son downswing par une impulsion de la hanche gauche, réprima sa tendance à baisser l'épaule droite. Le coup paraissait bon : la balle partit, en un léger draw, juste au-dessus du deuxième buisson. Farrell tourna les yeux vers son caddie, s'attendant à une félicitation, du moins au plus petit signe d'un plaisir partagé. Mais l'autre, dont le visage crevassé montrait le hâle étrangement uni d'un acteur blanc jouant Othello, suivait la balle de l'œil méditatif avec lequel il avait contemplé le corbeau. « Votre main droite est un peu en avant », observa-t-il ; de fait, en approchant du green, la balle décrocha en pull pour aller s'engloutir au fond d'un bunker. Il lui manquait de surcroît plus de dix mètres. Le caddie l'avait surestimé d'un club ; sans se démonter le moins du monde, il lui tendit son sand-wedge. Dans les traits délavés de Sandy, les yeux d'un gris pâle perçaient comme des pans de jour ; et Farrell comprit avec stupéfaction que cet homme, courbé sous l'éternel fardeau de son sac de golf, était sans doute plus jeune que lui-même : un Picte desséché avant l'âge, concentré du propre sang de Farrell, le sang celtique dilué des Yankees.

La paroi du bunker, face au trou, était aussi haute

que Farrell et lisse, bâtie en briques de terreau. Jamais il n'avait vu de bunkers de ce type, pas même à Shinnecock Hills. Décontenancé de s'être fait donner un mauvais club sans une excuse, Farrell joua son swing à cinq reprises dans ce sable humide et brun, plus sombre et dense qu'aucun des sables de Long Island ; chaque fois, la balle s'écrasait juste au-dessous de la lèvre et roulait à ses pieds. « Tapez-la bien derrière, conseilla le caddie, et n'arrêtez pas le club. » Au sixième essai, la balle finit par débouler sur le green, s'arrêtant à deux mètres du trou.

Ses compatriotes se confondirent en louanges ironiques sur ce coup excellent quoique tardif ; mais le caddie, tout aussi grave que Farrell quand il avait joué ses swings, lui tendit son putter. « Une balle à gauche », recommanda-t-il, et Farrell conçut un tel intérêt pour cette étrange notion – la balle comme unité de mesure – qu'il putta trop court. « Z'oubliez de la frapper, Gous », observa Sandy.

Farrell hocha sèchement la tête. En présence du caddie, il se sentait contraint à faire étalage des plus hautes vertus golfiques. Quand on lui demanda son score, il répondit, d'une voix théâtrale : « Sans tricher, c'était un dix.

– Disons six », tempéra le marqueur avec l'indulgence coupable des Américains.

La partie continua sous une rapide succession d'averses que venait dissiper un soleil pâle ; des arcs-en-ciel surgissaient çà et là, de minuscules marguerites luisaient sous la semelle. Farrell et son caddie poussaient l'un contre l'autre comme le pied, par temps humide, pousse contre la chaussure. Sandy s'obstinait à le surestimer d'un club, mais Farrell finit par prendre cet échec sur lui-même. Le caddie destinait ce club au golfeur plus fort qui sommeillait en lui, et c'était la tâche de Farrell que de laisser se manifester ce golfeur supérieur, de le laisser s'extraire de ce corps trop raide, trop timoré, trop vieux. Sur le douzième trou, « Dunrobin » – un par 5 qui n'en finissait plus, avec un vaste pan de fairway, pâle et moutonnant comme une lune, qui poussait jusqu'à un bord lointain que marquaient deux petits bunkers cylindriques et un bras vert pâle de genêts courant à gauche, vers des bosquets minés par les lapins – son drive claqua enfin. Le vide spectral du terrain, son absence de traits distinctifs avaient eu raison des inhibitions de Farrell ; il sentit le manche d'acier du driver plier subtilement dans son dos, appelant un ressort identique dans ses genoux et il sut comme son poids se reportait en souplesse du pied droit sur le pied gauche, qu'il amènerait la face de club bien perpendiculaire à la balle, ce qui se produisit, si bien que la balle – sa dernière Titleist, les autres s'étaient englouties dans les genêts, les bruyères, les éboulis des collines – se fondit dans la bruine bien avant qu'il ne levât les yeux, la tête encore inclinée sur le côté, comme appuyée sur un imaginaire coussin, ainsi que font les pros à la télévision. Il lorgna vers Sandy. « OK ? » demanda Farrell dans une affectation de modestie, mais avec aussi la peur sincère de l'obstacle, le raffinement du tracé qu'il eût omis de prendre en compte.

« Beau coup, monsieur », répondit le caddie et ses traits, comme sous un coup de baguette magique, s'affaissèrent en un sourire plein de dents grises au coin duquel pointait son mégot sans cesse rallumé. Quelle importance si Farrell, s'efforçant de retrouver cette élasticité, topa le bois 3 qui suivit, força sur son fer 5 et expédia son wedge de l'autre côté du green surélevé ? L'espace d'une seconde, il avait réveillé le géant du golf qui dormait dans ses muscles. Il se voyait déjà faire surgir de nouveaux signes dans les yeux de l'autre, qui soudain n'étaient plus si pâles ni si indifférents.

Le dîner, durant cette semaine d'excursion à l'étranger, était une cérémonie masculine où se retrouvaient les mêmes huit mâles de Long Island. Loin des arides canyons de Manhattan, privés de l'air conditionné des bureaux où ils avaient amassé leur petite fortune, ils changeaient : les cheveux bouclaient, les visages se hâlaient. Ils parlaient de leurs caddies comme, dans la conversation débraillée des fins de repas, des hommes évoqueraient leurs maîtresses. Mais qu'est-ce qu'ils veulent donc, les caddies ? « Allez, Freddie, faites-la péter pour changer ! » Le très distingué banquier Frederic M. Panoply jurait avoir entendu ce cri quand, au troisième jour de son jeu prudent, il préparait avec soin son adresse.

Un autre caddie, à qui l'on demandait son avis sur Mme Thatcher, avait répondu avec un clin d'œil : « L'ah sûrement une bonne affaire au lit. »

Farrell, homme attaché aux convenances et d'un naturel réservé, n'avait que peu à dire sur Sandy. Il s'inquiétait de le voir trop fumer. Il se demandait si les conseils qu'il lui donnait étaient très en dessous de ce qu'il aurait pu dire à un Japonais. Il craignait que Sandy ne se lasse de lui. Au fil de la semaine, leurs rapports se firent plus intuitifs. « Un fer 6 ? » interrogeait maintenant Farrell et, sans un mot, l'autre sortait le club. Farrell s'était même risqué une fois à réclamer un 5 au lieu du 6 qu'on lui tendait, pour réussir par accident son fameux coup élastique et dépêcher sa balle derrière le green, parmi les joncs. Au putting, si les conseils explicites de Sandy l'avaient d'abord troublé au point qu'il en oubliait de frapper fermement, l'accoutumance était venue peu à peu. Désormais Farrell penchait habilement la tête, collant l'oreille aux lèvres de son caddie, et tâchait de se représenter une ligne orientée « ah rognure d'ong' à gauche ». Il se mit à rentrer des putts. Il se mit à signer des pars. Les vagues moutonnaient le long du links ; en face défilaient des wagons lie-de-vin, les omnibus de Glasgow : bonheur saisi entre la mer et la voie ferrée, liberté sauvage et battue par les vents. Au matin du dernier jour, comme il avait expédié son premier drive en slice dans le rough, entre un chardon et une sorte de tombe d'enfant, il inclina la tête vers la bouche de son caddie et reçut ce conseil : « Feriez mieux de la lâcher.

– Pardon ? » demanda Farrell, comme il l'avait fait toute la semaine, chaque fois qu'il se perdait entre hoquets et coups de glotte. Aujourd'hui il entendait particulièrement mal : un grand vent soufflait de la mer, secouant furieusement son pantalon imperméable dans un bruit de mitraillette, poussant contre ses globes oculaires tandis qu'il cherchait sa balle. Quand il cessa de voir double, le lie lui parut jouable : balle à demi enfouie. On ne lisait plus d'inscription sur la stèle ; peut-être ne s'agissait-il que d'un antique marqueur de voie ferrée.

« Votre dame, précisa Sandy en lui tendant le fer 8. 'Toute façon, l'est trop tard, mon gars. L'était pas votre genre. Trop prop' sur elle.

– Ce ne serait pas plutôt un wedge ? hasarda Farrell.

– Nan, ah sort comme y faut. » Et le caddie enfonça le pied dans la bruyère, derrière la balle qui monta comme une bulle de marais. « C'ah faisab' au huit. Cherchez le par, mon gars. Vous pensez trop à vos erreurs ; z'avez tendance à jouer défensif. » Farrell n'aurait fait aucun cas de la remarque précédente, la traitant comme une illusion auditive (les syllabes mangées de l'Écossais, le grand vent) s'il n'avait été frappé par son inquiétante justesse. « Trop propre sur elle » : voilà exactement ce que ses collègues avaient dit de Sylvia. Lui ne voyait que sa beauté physique, convaincu que ses grands airs finiraient par passer ; mais trente-cinq ans de mariage lui avaient appris que les grands airs sont durables et que c'est la beauté qui passe. Quant à la quitter, cette idée ne l'avait traversé que tout récemment ; la division des OPA venait d'engager une certaine Irma Finegold, paupières lourdes, lèvres charnues qui éclataient de rouge, et tout un petit manège insolent sitôt qu'ils échangeaient quelques mots – avant ou après une conférence, dans l'ascenseur pour la salle de réunion. Elle venait de divorcer, elle lui parlait en se caressant la lèvre avec la gomme de son crayon, elle s'ingéniait à frémir des épaules. Il y avait eu des veilles au bureau – Farrell aimait montrer que sa haute position ne l'exemptait pas forcément d'une nuit blanche au côté des jeunes loups – où ils avaient partagé les plats du traiteur chinois dans leur carton graisseux, puis la limousine du retour, à l'aube, entre les arches jumelles et les dentelles du pont de Brooklyn ; et enfin, comme il repartait pour Long Island, la proposition inespérée d'un crochet par chez elle, proposition qu'il n'avait pas déclinée. Farrell n'était plus un jeune homme, mais il lui semblait s'en être très bien tiré, même en tenant compte des distorsions inhérentes aux différences hiérarchiques.

Le fer 8 leva parfaitement la balle, le grand vent de l'Atlantique la rabattit à droite, sur le drapeau. « Bord gauche, mais ferme », recommanda Sandy pour le putt, et Farrell le rentra, signant son premier birdie de la semaine.

Le ciel argenté se lacéra soudain ; des pans de soleil et de neige fondue se déversèrent en même temps ensemble sur le parcours. Ils marchaient vers le tee suivant, inclinés selon le même angle, quand la voix de Sandy couvrit le vent.

« Et pis, pas touche au dossier MiniCorp, hein. Z'ont surgonflé le niveau de dette de la boutique. »

Farrell dévisagea son caddie. Pluie et neige fondue rebondissaient sur sa peau brune comme sur une toile cirée. Il scrutait l'horizon brumeux, les yeux mi-clos ; des lueurs métalliques paraissaient dans ses pupilles. Farrell fit semblant de n'avoir pas entendu. Sur le tee, il reçut un bois 3 accompagné de ce conseil : « Y faut rester loin du petit ruisseau. Le vent tourne ; ça nous ramène le soleil. »

De fait, vers la fin du parcours, le soleil finit par s'arracher aux nuages. Au loin, derrière la voie ferrée, un gros arc-en-ciel coiffait la silhouette grise de la ville, ses clochers noirs, les cheminées des distilleries. Quand la partie de l'après-midi commença, le ciel s'était dégagé par endroits et les ombres qui s'allongeaient soulignaient chaque courbe du vieux parcours, sinueux comme un corps de femme.

A douze mètres du green sur le quatorze, Farrell reçut docilement le putter des mains de son caddie et fit franchir à sa balle la pente inégale pour l'arrêter devant le trou. Son moi d'antan aurait joué un chip, sans doute trop fort ou ridiculement faible. « Bravo pour le conseil », dit-il. Et, tout à son triomphe, il revint à la charge : « Mais Irma ne jure que par le dossier MiniCorp.

– Ouais, parce que ça vous rapproche. L'ah peur de vous perdre dans les dédales du pouvoir.

– Mais qu'est-ce qu'elle me trouve ?

– Ben, ça se pourrait qu'ah veule un père. Son premier mari, l'était complètement immature, pis l'était loin d'avoir vos revenus. »

La déprimante lucidité de cette analyse lui broya le cœur : l'esprit ailleurs, remâchant la douce amertume de son chagrin, Farrell enchaîna les coups superbes. Mais quand il quêtait une récompense auprès de son caddie, il ne rencontrait que ce même visage austère, impassible, prématurément vieilli, indéchiffrable sous la casquette de tweed. Demain, il accompagnerait quelqu'un d'autre et Farrell, lui, serait bouclé sur un fauteuil de business-class dans un 747. Sur les derniers trous du retour, le long de la voie ferrée, tandis que le club-house victorien, avec sa façade de brique, ses tourelles, ses fenêtres néogothiques, grossissait à vue d'œil, Farrell mendia d'ultimes conseils. « Le bois 5 ou le fer 3 ? Le 3 la protégerait du vent, mais je me sens plus en confiance avec le bois, vu la façon dont vous me faites swinguer.

– Le 5 va filer au diable ; z'êtes trop remonté, là. Non, prenez un fer 4. En douceur, mon vieux. Visez le petit *broch*.

– ... le *broch* ?

– Ah petite forteresse, là, du temps qu'on avait notre bon roi à nous. Et pis, ajouta-t-il, devriez penser à une retraite anticipée. Z'accords de séparation seront plus si juteux, maintenant que la récession arrive. Pourriez vous dégager, donner des consultations en free-lance pour vot' argent de poche.

– J'y pensais justement. Si Irma, au bout du compte, ce n'est qu'un feu follet...

– Feu follet, vous dites ? Eh ben, Gous, z'apprenez vite. »

Farrell se sentit flatté, lavé par le vent, là, dans cet univers originel de gris et de vert. « Vous le pensez vraiment, Sandy ?

– Je pense pas, je *sais*. On connaît son bonhomme ah façon qu'y goffe. »

Sur une marche de podium gagnée en tournoi senior

Las, où sont allés ce fer 8, droit sur le drapeau,
qui sauvait le par après deux coups moins heureux ?
ce putt, froidement joué, qui ravit la victoire
aux adversaires vacillants ? le long drive héroïque
qui dépassa le ruisseau d'un pied ou deux,
le wedge en coup de faux qui déterra la balle enfouie
pour, dans une gerbe de sable, l'envoyer folâtrer
    vers le trou ?

Ces exploits compteraient-ils pour rien, si tôt après
qu'ils ont tant compté ? Le sang qui battait aux
    tempes,
ces élans d'amour envers un partenaire vaillant et
    chaotique
l'esprit contemplant, dans une concentration meur-
    trière
les abstractions tracées dans l'air par le pur jeu des
    tendons et des os...

– Tout cela, fondu dans un hochet d'argent, la rumeur fade
d'un applaudissement sous la tente, une plaisanterie, un lointain deuil.

Golfeurs

Bêtes à un gant, bêtes à crampons, à grand fracas ils regagnent
le vestiaire en triomphe d'opérette, taureaux
qui ont toujours, fichées en eux, les banderilles de leurs pars,
et soufflent à fausses flammes leurs foulées et leurs coups, leurs foulées et leurs putts.
Ils nous font peur : bras hâlés, crissements d'argent
culottes couleur de crème, chaussures
plus blanches qu'un os, qui piquettent le green accablé
et prennent un stance arrogant sur le dos des pauvres.

L'haleine pleine de bourbon, croassants, ils se déshabillent :
sur les torses le poil grisonne, les testicules
pendent mollement comme des balles de practice,
les jambes bleues se tortillent ;
que deviennent, alors, tous leurs pars et leur fureur ?

Rêves de golf

Au retour de la douche, racornis, ce sont des hommes,
des hommes et rien de plus, rescapés
de l'horreur du dernier trou.

L'AMOUR DU JEU

Les joies du golf

Je n'ai jamais touché un club avant l'âge de vingt-cinq ans. Puis, sur une pelouse ombragée, dans la ville de Wellesley, une dame que l'on pourrait appeler ma belle-tante me montra comment manier son driver et m'assura, m'ayant vu jouer une balle imaginaire, que j'avais un très beau swing inné. Depuis ce fatidique encouragement, je me suis bien souvent interrogé, au-dedans comme au-dehors, sous des cieux cléments ou sévères, sur d'innombrables greens et dans plus d'un paysage sinueux, sur la nature exacte des plaisirs que procure ce sport éprouvant. Car il arrive que ces plaisirs menacent d'éclipser tout le reste, y compris ces questions sexuelles que Freud porte au pinacle, voire même ces besoins encore plus élémentaires qui – selon Marx – demandent à être assouvis.

Sans doute la démesure du terrain, au regard de laquelle le polo ou le base-ball font figure de loisirs d'intérieur, joue-t-elle un rôle. Voir sa balle engloutir plus de cent quatre-vingts mètres de fairway, la regarder jaillir de la face d'un fer 8 pour survoler tout un bouquet d'érables incendiés par l'automne, c'est s'unir par l'esprit à cette immensité naturelle devant laquelle, en d'autres circonstances, on se sentirait minuscule. Vivant les tribulations d'un match de golf, le corps humain, telle Alice au Pays des Merveilles, fait l'expérience d'une enivrante relativité – gigantesque à l'échelle de la balle, minuscule à celle du parcours –, exactement assortie à celle des autres joueurs. De cette relativité naît une musique muette qui monte jusqu'aux cimes des arbres et déploie un éventail wagnérien de transformations à mesure que chaque trou évoque son jeu de coups, jusqu'au point d'orgue du dernier putt. L'assortiment harmonique des clubs eux-mêmes n'est pas sans évoquer les tuyaux d'un orgue.

L'équipement prodigue ses joies propres : les carnavalesques culottes en polyester, les menaçantes chaussures à crampons – mais dans lesquelles on se sent plus grand –, le petit gant raffiné qui finit par habiller la main gauche, le ferme cuir des grips, la pureté des manches, comparable à celle d'un fusil, le lustre impeccable (du moins, avant qu'on n'invente la fluorescence) de la balle. La tenue reste légère, à la différence des monstrueuses armures dont le skieur, le joueur de football américain doivent se harnacher. Elle nous permet même une individualité dans la couleur – loin du golfeur ces uniformes humiliants, concoctés entre agents de presse et tyranniques patrons de clubs, qui sont le lot des joueurs de baseball. La tenue de golf rend l'âme chevaleresque, la dispose à courir vers de lointaines bannières à travers des obstacles en forme de dragon. Le green qui nous accueille, avec ses suaves ondulations, évoque la douceur, la noble gentillesse des vierges d'antan.

L'objet du jeu et le comptage des points se signalent par leur merveilleuse simplicité : un point par coup. *Le Bruit et la Fureur*, de William Faulkner, s'ouvre sur une partie de golf vue à travers les yeux d'un idiot qui en saisit fort bien l'essence : « Ils ont retiré le drapeau, et ils tapaient. Puis ils ont remis le drapeau et ils sont allés à la table, et il a tapé et puis, l'autre a tapé. » C'est ainsi : le golf réveille en nous l'idiot qui sommeille, et l'enfant. Quel enfant peut rester insensible au principe de plaisir du golf miniature ? La nature enfantine des golfeurs est assez attestée par leur incapacité à compter jusqu'à cinq. Il y a une joyeuse injustice, une forme réjouissante de démocratie à placer sur un même pied, en termes de score, un drive de deux cent soixante-dix mètres depuis un tee surélevé et un tap-in de quelques centimètres. N'oublions pas non plus le coup dans le vide, le plus comique de tous. Une balle mal renvoyée, au base-ball ou au tennis, n'a rien de très amusant ; tandis qu'au golf, les coups ratés constituent une inépuisable source de divertissement, du moins quand ils sont le fait de votre adversaire. Le hook en canard, le slice en banane, les lamentables cahots de la balle topée, la sortie en explosion qui n'explose pas, le ricochet contre un arbre, la balle verticale, l'imposant hors-limites, le duo choc-plongeon au bord du bassin, les éclaboussures dans l'herbe haute, la talonnade sur sentier goudronné, le coup frappé en pointe, le coup trop gros, le coup trop sec, le putt avorté... Tout un trésor de réjouissances gît en latence dans un après-midi de misères si variées, toutes produites en un clin d'œil par les infaillibles lois de la physique !

Et les délices du swing, dans ces moments où il semble un jeu d'enfant et où la balle monte au ciel, parfaitement rectiligne... « Je m'en contenterai », commentons-nous, modestes, avant de chercher en rougissant le tee perdu dans l'herbe. Il suffira de quelques coups comme celui-là, sur l'ensemble d'une partie, pour nous pousser à revenir : quel autre sport nous gratifierait d'une si soudaine magie contre une si faible dépense en énergie ? Dans ces instants où le club siffle et où la balle s'élève, culmine, retombe, un moi idéal paraît se dessiner. Puisque nous avons pu jouer ce coup, sans doute des milliers d'autres gisent-ils au plus profond de nous-mêmes : le problème sera de les trouver, de les faire se montrer. Se concentrer, prendre son temps, déplacer son poids, serrer le coude contre son flanc, ne pas casser le poignet avant de toucher la balle, garder la tête basse et immobile, sans jamais se départir d'une sérénité de moine bouddhiste : voilà un programme ambitieux, mais qui touche surtout au spirituel et n'exige ni les muscles ni la tonicité de la jeunesse. Quel autre sport nous laisserait un espoir de progresser passé la cinquantaine ? On sait que le déclin des pros commence à quarante ans, mais ce sont les nerfs qui lâchent au putting, non le swing qui se dérobe. Dans le cas du bûcheron qui écrit ces lignes, les possibilités d'amélioration sont si vastes qu'il faudrait, pour les épuiser, trois vies entières à arpenter les fairways, convaincu que la perfection nous attend juste derrière la prochaine montée. Il se pourrait bien que cet espoir-là soit le plus doux des plaisirs que le golf dispense à ses adeptes.

Y a-t-il une vie après le golf ?

Un jeu offre ceci de commun avec une religion qu'il cherche à codifier la vie, à l'éclairer. Pour peu qu'on le pratique honnêtement (le rôle du spectateur ne constituant ici qu'une forme dégénérée de participation), le jeu peut rassembler en lui de stupéfiantes dimensions de subtilité et de transcendance. Voyez l'hymne que George Steiner a consacré aux inépuisables merveilles des échecs ; voyez ces méditations, d'une intensité surprenante, qu'inspirent à Roger Angell les beautés mathématiques et instantanées du base-ball. Sans doute certains sports sont-ils plus religieux que d'autres : le hockey sur glace, malgré toute la ferveur de ses adeptes, garde des relents de jeu de massacre et si le hand-ball offre d'indéniables attraits, il n'a guère inspiré d'évangiles. Le golf en revanche fait l'objet d'autant de verbiage que l'astrologie elle-même. En cet âge télévisé, il ajoute à son antiquité et à son aura de privilège le cachet de la célébrité soudaine – fortunes que viennent empocher de solides gaillards de Latrobe

(Pennsylvanie) ou d'El Paso (Texas). Ils sont désormais des millions, dès l'aube, à battre la semelle dans les files d'attente tout en remâchant un conseil issu des pages sportives du journal ou du practice des pros. Ce culte ésotérique est devenu culte de masse sans abdiquer pour autant son ésotérisme. A travers les absences catastrophiques d'un Palmer, l'effondrement persistant d'un Casper, le golf ne cesse de réaffirmer son énigme originelle. De tous les jeux, c'est le plus mystérieux, le moins terrestre, celui où le mur qui nous sépare du surnaturel se fait le plus mince. L'exaltation de ses grands espaces ; la facilité irréelle du bon coup ; l'infernal calvaire de la mauvaise partie ; cette obscène disparité entre le drive qui dévore les deux tiers du fairway et le misérable boulé de huit mètres, quand pourtant ils ont été frappés d'un swing presque identique ; les imprévisibles revers de fortune qui caractérisent une partie ; ses silences extatiques ; ses altérations de notre perspective ; sa sensibilité psychosomatique à notre monologue intérieur comme aux changements de notre humeur ; les airs butés et menaçants dont un carré d'herbe se montre parfois capable ; les caprices de la vue ; la terreur de perdre ses repères ; ce rituel de l'inhumation, puis de la résurrection de la balle qui se renouvelle à chaque green – tels sont les ingrédients qui font du golf un miroir magique, une projection extérieure d'un moi profond. Michael Murphy, dans un curieux et sympathique ouvrage intitulé *Golf in the Kingdom*, pousse ces mystères à leur degré le plus haut.

M. Murphy, un Californien, est le cofondateur de

l'Essalen Institute. Le rabat de la jaquette nous décrit cet institut comme « un centre de recherche et de développement qui se voue à explorer les nouvelles tendances des sciences du comportement, de la religion et de la philosophie portant l'accent sur les potentialités et la valeur de l'existence humaine ». Au dos de la jaquette, M. Murphy sourit de toutes ses dents – qu'il a fort belles – et, s'il n'y avait comme une ombre de souci métaphysique pour rôder dans son regard, on le prendrait pour un de ces jeunes pros interchangeables, la mâchoire carrée, qui encombrent le circuit de leurs compétences. Le livre de M. Murphy a d'ailleurs la franchise de ses traits : il s'y dépeint en patron débordé, mais aussi comme un homme en quête de vérité. Il nomme des amis, livre des dates, mentionne des parties dont on ne doute pas qu'il les ait jouées. Pourtant l'épisode central de ce récit autobiographique – où intervient un golfeur écossais mi-pro, mi-gourou appelé Shivas Irons – donne, ainsi que le nom du personnage *, dans la fiction la plus libre. L'ouvrage commence sur ces lignes échevelées :

> Il existe en Écosse, entre le golfe du Forth et le golfe du Tay, un ancien royaume picte : le Fife, que certains amoureux du pays appellent plus familièrement « Le Royaume ». Là, sur les côtes de la mer du Nord, s'étend un links dont l'image brillera pour toujours dans mon

---

* La graphie *Shivas* rappelle Shiva, la divinité hindoue ; *Irons* désigne les fers du joueur de golf. *(N.d.T.)*

souvenir. Car cette bande innocente de bruyères et de dunes herbeuses a donné naissance aux événements incroyables qui inspirent ce livre... C'est là que, certain jour de juin 1956, je fus amené à faire la connaissance de Shivas Irons. Je jouai un parcours en sa compagnie, je l'accompagnai le soir même à une réunion d'amis, je le suivis à minuit au fond d'un ravin où il allait chercher son mystérieux professeur, je le vis entrer en transe au lever du soleil... L'après-midi suivant, je repartais pour Londres – vingt-quatre heures à peine après l'avoir rencontré –, troublé, exalté, ma perception des choses à jamais transformée.

M. Murphy faisait alors route pour l'Inde afin d'étudier la philosophie et de pratiquer la méditation auprès du Sage Aurobindo ; il se peut qu'il ait mis rétrospectivement beaucoup de ce qu'il apprit là-bas au compte de son professeur mythique, lequel jouit au golf d'une réussite surnaturelle, possède chez lui toute une bibliothèque d'ouvrages occultes et parvient même, en pleine nuit, à signer un trou en un avec une balle de plume et un antique gourdin ayant appartenu à certain sulfureux ermite du nom de Seamus MacDuff. Quant au parcours, appelé dans le livre Burningbush – ou « Buisson Ardent » – on y reconnaîtra sans peine, tant pour sa situation que son tracé, le Lieu saint du golf, j'ai nommé St. Andrews. L'ouvrage ne s'écarte jamais vraiment de son objet golfique et l'on y trouve même certains conseils pratiques : ne pas lutter en vue du score, jouer le coup qui se présente, renoncer à la maîtrise complète. « Que le vide envahisse tes coups », rappelle Shivas à

Murphy – recommandation que tous ceux d'entre nous qui, doutant de la mécanique inconsciente du swing, étouffent leurs coups à force de poignet et de bras, feraient bien de méditer. Quand Murphy se contracte sur le premier départ, Shivas trace dans l'air un signe rassurant qui fait naître en lui « la sensation de mon ventre et de mes hanches, en y ouvrant un centre où mon swing pouvait se loger ». Le conseil bien connu : « Frapper de l'intérieur » reçoit une formulation métaphysique : « Comprends le monde du dedans. » S'emballant sur le thème de la « juste gravité », Shivas exhorte son élève à sentir son « corps interne ». Murphy, à l'évidence un athlète-né, traverse, le club à la main, toute une série d'états de conscience qui ne sont pas sans évoquer le yoga : il se sent prendre la forme d'un sablier, puis grandir jusqu'à une taille démesurée ; il voit des « auras » turquoise s'étendre et se contracter ; il perçoit, par d'autres intuitions saisissantes, des « dimensions d'énergie » plus propices à troubler qu'à rassurer le joueur lambda de handicap vingt. Unité et harmonie sont les deux piliers de l'enseignement dispensé par Shivas : celui-ci recommande d'imaginer la balle et le sweetspot du club comme un tout ; plus loin, de percevoir « club et balle comme un champ continu » ; et toujours plus loin : « Parfois, dans l'œil de ton esprit, un chemin se dessinera pour la balle : laisse-le se fondre dans ton corps. » Murphy se rappelle un tel instant de synesthésie sur le links de Burningbush : « Durant ce moment... le monde n'était plus qu'un même champ de musique, de joie et de lumière. » Et

Shivas de conclure : « Que le champ ne fasse qu'un avant que le swing soit joué. »

Une telle perspective religieuse, qui tend à abolir les oppositions entre le jeu et le joueur, celui qui frappe et sa cible, l'homme et le paysage, reste étrangère à l'Occidental, qu'il soit adepte de l'agressif Yahvé ou de Jésus le tragique. Pour commencer, l'Occidental se méfiera d'une philosophie cosmique qui peut s'impliquer avec tant de facilité dans l'enseignement du golf. Murphy, s'inspirant des écrits supposés de Shivas, a quelque mal à enchaîner la première partie de son livre, consacrée au golf, sur les mystères transcendants de la seconde. Considérant la légèreté d'une balle de golf (quarante-deux grammes), Shivas en conclut que le monde aussi est léger comme une plume : c'est un « néant terrestre ». La balle est aussi « l'icône de l'Homme Amphibien Multiple, une version réduite et évasive de la boule de cristal, un miroir du corps intérieur ; c'est une pierre d'aimant venue du fond des âges grâce à laquelle tu pourras polariser ta psyché ». Sa blancheur évoque (coucou, Melville) la terreur du neutre ; sa trajectoire est là pour « nous rappeler notre passé de chasseurs et nos futurs pouvoirs de vol astral ». Sartre est mandé à la rescousse (via *L'Être et le Néant*) : « Nous passons une bonne part de notre vie à boucher des trous, emplir des espaces vides, pour réaliser et établir symboliquement une plénitude. » Un tel étalage de symboles n'est pas systématiquement dénué d'intérêt, mais il frise tout de même le fumeux – on est ici moins dans le registre du mysticisme que de la mystification. Et l'on finit, au bout du compte, par associer toutes ces considérations sur les corps lumineux et autres plans de manifestation, sur *hamartia* et *darshan,* sur Agni le Feu primordial et sur le Filet de Joyaux, à de la sorcellerie. Par exemple, la victoire de Jack Fleck sur Ben Hogan lors de l'Open 1955 est interprétée comme une appropriation par Fleck du « corps intérieur » de Hogan ; Murphy raconte par ailleurs comment, tandis qu'il assistait à un match de base-ball, ses voisins de tribune et lui déclenchèrent une « tempête psychique » qui eut pour effet de paralyser à jamais le bras du lanceur adverse. Cette magie noire, quand bien même elle marcherait, est-elle ce qu'il faut aujourd'hui ? « Mince est la frontière, comme le dit Shivas lui-même, entre la folie de Dieu et la folie du Diable. »

L'esprit occidental aspire à un credo plus serein, un credo qui ennoblirait la chair au lieu de la mortifier, renverrait aux limbes cette pénible dissociation de l'âme et du corps, apaiserait les souffrances de l'égoïsme. Mais toutes ces sagesses importées d'Orient ont la curieuse habitude de virer à la thérapie physique – une thérapie plutôt innocente, à coup d'inspirations profondes et de gestes ravissants – voire au surnaturel le plus stéréotypé. Sur les traditionnelles interrogations des chrétiens, l'existence du mal ou les paradoxes de l'action éthique, *Golf in the Kingdom* n'a pas grand-chose à nous apprendre. La bruyante assemblée qui suit la partie de golf avec Shivas voit bien naître, selon Murphy, « une discussion animée sur les talonnades et la question du mal », mais l'auteur ne nous en dit pas plus. Reconnaissons que Murphy/Shivas nous détaille, l'espace d'une page, la distinction éthique entre « l'Esprit indifférencié » et « le Moi supérieur » ; mieux vaut connaître celui-ci avant de se noyer dans celui-là. Le LSD est distingué de la contemplation disciplinée et la dégradation morale du nirvana. « Il te faut un terrain solide pour asseoir ton swing », explique Shivas, mais ce n'est qu'une demi-vérité ; car il faut aussi un point à viser. Shivas se montrerait prophète accompli si le monde était un terrain de golf et la vie, un jeu. Car, dans un jeu, la fin et les moyens sont établis sans la moindre ambiguïté : le règlement précise jusqu'aux plus minuscules détails de l'étiquette et de l'équipement. Un golf où certains joueurs se serviraient d'une raquette de tennis pour frapper un palet de hockey ; où d'autres prendraient leur départ sur le green en visant le tee ; où d'autres encore seraient convaincus que le but consiste à embrocher les autres au moyen des drapeaux, voilà une compétition d'où nous pourrions tirer une philosophie applicable à la vie entière. On devrait procéder avec la plus extrême prudence pour déployer des analogies à partir d'une île qui, à l'instar du golf, fut conçue comme un havre artificiel coupé des problèmes réels. Même à l'intérieur de l'analogie, Murphy se trouve d'ailleurs limité par un indéfectible optimisme. Dans son petit domaine, le golf est capable de supplices proprement infernaux : si vous en voulez une description, lisez donc *The Bogey Man*, de George Plimpton. Je vous recommande le terrifiant chapitre où Plimpton s'entraîne de nuit, en plein désert, sur un minuscule par 3, avec quatre balles de golf qui montrent, chacune à sa façon, de diaboliques velléités d'indépendance.

Reste que *Golf in the Kingdom* ne manque ni d'esprit ni de bonne volonté. « Nous nous déployons en jouant, puis nous sommes ramenés dans un lieu minuscule » : voilà qui décrit magnifiquement et le golf et la vie. Et puis, pourquoi ne pas *faire ressembler* la vie à un parcours de golf ? Un parcours où nos actes seraient légitimés du dedans, où l'on replacerait toujours son divot en s'excusant, où l'on prendrait plaisir à la simple promenade, où l'on jouirait des temps morts ? Il y a du bon dans l'expérience du golf, ce bon que M. Murphy qualifierait de *pitha*, « un lieu où quelque chose vient s'immiscer dans notre quotidien pour livrer un indice qui ne nous laissera plus en paix ».

Golf in the Kingdom me rappelle un autre témoignage de dévotion, *Doctor Golf* de William Fox, livre paru en 1963 et depuis longtemps épuisé. Le Docteur Golf, joueur plus farfelu et enthousiaste encore que Shivas Irons, dirige dans l'Arkansas un sanctuaire du golf, l'*Eagle-Ho*, où ne sont admis que trente-neuf membres. Il fait allusion au « jeune Hagen * », se déclare partisan de flanquer des raclées aux caddies comme autrefois, vend par colis postaux tout un bric-à-brac d'objets liés au golf et entretient une correspondance volumineuse. Quand l'un de ses correspondants lui écrit : « J'ai soixante-cinq ans et le golf vient

---

* Champion américain des années vingt. *(N.d.T.)*

de fondre sur moi comme l'aigle sur le mulot », le Docteur Golf l'en félicite :

> Il faut avoir brisé les chaînes de la jeunesse pour que le golf puisse se manifester. C'est alors seulement que l'homme mesurera la folie de l'idéal adolescent selon lequel le swing se soumet à l'homme ; et qu'il comprendra qu'en vérité, c'est l'homme – l'homme complet – qui se soumet au swing.
> Les années et les eagles passeront pour lui comme un rêve ; et un jour viendra où une joie plus grande encore se manifestera – le jour où, debout dans la lumière éclatante de la révélation suprême, il comprendra que *le swing, c'est l'homme.*

Le swing, c'est l'homme. La danse de Shiva, conclut Michael Murphy, est au cœur de toute chose. En matière de mysticisme, le Docteur Golf aura pourtant le dernier mot :

> Le swing, par sa nature même, transcende la forme humaine. Le swing sera là quand vous n'y serez plus... Le swing, monsieur, est pareil au bleu du ciel : immuable, éternel. Le swing, c'est la transcendance même.

Golf et littérature

J'ai découvert le golf à travers les livres bien avant d'y jouer. Il y a un ou deux romans d'Agatha Christie – ouvrages que ma jeune personne dévorait presque aussi vite que les tranches de pain au raisin – où le meurtre survient sur un parcours ; j'imaginais alors des pelouses noyées d'ombre, des hommes maigres aux bâtons maigres qui suivaient d'un pas digne le fil de noires pensées et les évolutions d'une petite boule blanche. Mais ce fut P.G. Wodehouse qui m'initia de façon mémorable à l'univers imaginaire du golf : ses récits golfiques, de petites merveilles d'humour, sont éparpillés dans nombre de volumes qui hantent les rayons des bibliothèques municipales, mais on peut les trouver aujourd'hui rassemblés en un seul recueil, *The Golf Omnibus.* Je n'avais jamais touché un club de ma vie, mais étrangement, je n'avais aucun mal à me représenter le décor verdoyant du mythique golf de Marvis Bay, où vient s'asseoir le Doyen :

> Une agréable brise jouait dans les arbres à la terrasse du golf de Marvis Bay, bruissant dans les feuilles et rafraîchissant le front du Doyen. Celui-ci, comme à son habitude le samedi après-midi, s'était installé dans un rocking-chair à l'ombre, pour observer, en contrebas, les hooks et les slices de la jeune génération... [L'un des golfeurs] zigzague sur le fairway, tel un paquebot que traquent les submersibles. Deux autres paraissent creuser à la recherche d'un trésor enfoui, à moins qu'ils ne tuent des serpents – à cette distance, on ne peut être sûr de rien. Reste un estropié qui, venant de bousiller son coup de mashie *, se retourne contre son caddie, qu'il rabroue pour avoir respiré durant sa montée. Ses invectives à l'égard de l'innocent parviennent très distinctement de la colline.

« Hook », « slice », « bousiller », « mashie »... Tous ces mots luisaient sur la page comme si je les avais toujours connus ; comme si j'avais déjà, dans une vie antérieure, nourri dans mon cœur d'enfant la félicité qu'exprime si bien ce début d'un des récits de Wodehouse : « C'était un de ces matins où la nature entière semblait crier : " Fore ** ! "... Le fairway, que n'avaient pas encore lacéré par centaines les fers des débutants, étalait son sourire vert sous un ciel d'azur ; et le soleil, s'arrachant au faîte des arbres, semblait une balle de golf géante, levée à la perfection par le mashie de quelque invisible dieu, et qui s'apprêtait à retomber juste sous le drapeau du dix-huit. »

---

* Ancien surnom du fer 5. *(N.d.T.)*

** Cri destiné à avertir d'autres joueurs d'une balle dangereuse. *(N.d.T.)*

Je n'avais aucun mal non plus à suivre les péripéties de ces parties que Wodehouse relate en une parodie de poésie épique et qui se disputent, en général, pour la main d'une ravissante jeune personne. Il y a parfois des enjeux plus farfelus, par exemple trois chemins de fer contre un majordome anglais, comme dans le duel entre les deux millionnaires américains Bradbury Fisher et Gladstone Bott. Wodehouse excelle à brosser les divers styles de golf dans toute leur variété ridicule : « Gladstone Bott... se dandina quelques instants comme une poule qui gratte sur le gravier, puis, d'un quart de swing parfaitement raide, il expédia sa balle sur le fairway à quelque soixante mètres et ce fut à Bradbury Fisher de jouer son drive. » Mais Bradbury Fisher, malgré un handicap de vingt-quatre égal à celui de Bott, choisit une autre approche : « Il avait coutume de soulever son pied gauche d'une quinzaine de centimètres au-dessus du sol et, après avoir pivoté de toutes ses forces sur la jambe droite, de se rabattre brutalement en avant pour, dans un terrifiant déchaînement de violence, catapulter son club dans la direction approximative de la balle. » Relisant d'un œil plus averti ces lignes qui ont bercé ma jeunesse, je m'aperçois que Wodehouse, à l'instar de Ring Lardner au base-ball, n'a rien inventé ; ses descriptions touchent toujours juste. Il parvient à saisir, dans leurs moindres nuances, la bizarre euphorie et la fascination qui s'emparent du golfeur. Son récit de l'affrontement Bott-Fisher recèle cette réflexion mémorable : « Comme tous les joueurs de handicap vingt-quatre, [Fisher] se sentait, avec une confiance des plus inébranlables, en mesure de battre tous les autres joueurs de handicap vingt-quatre. » Après trente ans de golf, fort d'un handicap de dix-huit qui, malgré tous les efforts qu'il m'a coûtés, reste fragile, je suis forcé de reconnaître la triste vérité de cet optimisme irrépressible, quoique infondé. Bradbury Fisher se montre aussi un vrai golfeur dans sa foi indéfectible vis-à-vis de l'écrit. C'est ainsi qu'avant son match avec Bott il prend le temps de parcourir à nouveau « ce lumineux chapitre que James Braid, dans son ouvrage *Le Golf pour joueurs confirmés,* consacre aux drives joués contre le vent. La matinée s'annonçait superbe et il n'y avait pas un nuage en vue, mais autant parer à toute éventualité ».

Quand, vers vingt-cinq ans, j'ai découvert sur le terrain ce sport que Wodehouse avait excellé à décrire sur le papier, j'ai lu bien entendu un grand nombre d'ouvrages de perfectionnement : Armour, Hogan, Palmer, Jones. J'ai médité la pronation, le stance square et les caprices du talon gauche. J'ai été un lecteur attentif et fidèle de *Mac Divot,* remarquable bande dessinée pédagogique qui, suite à un conflit sur ses droits de reproduction, a dû cesser de paraître. Je me suis familiarisé avec les mythes et légendes du jeu, apprenant les noms de ces géants britanniques que sont le Vieux Tom Morris, le Jeune Tom Morris, Harry Vardon, Joyce Wethered. J'ai revécu, trou par trou, le drame du play-off historique entre Vardon, Ray et Ouimet, suite auquel le golf américain fit son entrée sur la scène internationale. Dans la désolation des mois d'hiver, je me consolais en rêvant sur les pages de Bernard Darwin et de Herbert Warren Wind, bardes étincelants du jeu. Je me suis même intéressé à la poésie golfique, genre peu couru qui comprend ces vers inoubliables d'Eliot (tirés des « Refrains » du *Roc*) :

Et le vent dira : « Ici demeurait un brave peuple sans dieu :
Leur seul monument, la route d'asphalte
Et mille balles de golf égarées. »

Et le délicieux *Seaside Golf* de John Betjeman, d'où j'extrais les deux couplets centraux :

Là-bas, sur le fairway, je la vis loin devant
Qui brillait d'un blanc solitaire ;
Je pris alors mon fer ; d'un bras sûr et puissant
Je l'envoyai loin de ma vue ;
Et, sans plus me soucier des plaques d'herbe haute,
Je sus qu'elle irait droit au green.

Je la trouvai qui m'attendait en souriant,
A deux petits pas du drapeau.
Je jouai un ferme putt ; sans une hésitation,
Elle roula au fond du trou.
Et même le gazon paraissait se réjouir
De ce trois-coups sans précédent.

Mais aucun de ces plaisirs littéraires, malgré le prix de leur témoignage, n'a su m'expliquer cet heureux mystère : pourquoi le golf constitue, en lui-même, un plaisir et un divertissement inépuisable. Cette question philosophique n'a trouvé son élucidation que le jour où l'on me mit sur la piste d'un obscur ouvrage d'Arnold Haultain, intitulé *Le Mystère du golf* (*The Mystery of Golf*).

La personnalité de l'auteur lui-même s'entoure de ténèbres. Si l'on en croit Herbert Warren Wind, « Haultain était, semble-t-il, un homme de lettres canadien, né en 1857, à qui l'on doit de magistrales études sur des sujets aussi divers que le cardinal Newman ou l'amour ». *Le Mystère du golf* fut publié pour la première fois en 1908 dans une édition limitée de quatre cents exemplaires, puis réimprimé en 1910 en édition générale. Haultain enrichit cette seconde édition d'une centaine de pages qui ajoutent, à une prose déjà fort riche, des manifestations d'éclectisme culturel encore plus poussées, de nouvelles rêveries, le tout assaisonné de citations étrangères, de digressions oisives, de considérations métaphysiques et physiologiques et de références à de bons auteurs tels que saint Paul, Tennyson ou Yrjö Hirn. Mais le texte de la première édition (qu'accompagnent – bizarrement – des notes marginales en anglais élisabéthain) expose amplement déjà les idées générales de Haultain sur la question, dans ce style un peu facétieux et largement allusif qui caractérise l'essai fin-de-siècle.

Quoi qu'il en soit, son ouvrage recèle des trésors : animé d'une ferveur analytique qui ne peut être l'apanage – Haultain le souligne lui-même – que d'un débutant d'âge mur, car un jeune manquerait de rigueur et un joueur aguerri, d'enthousiasme, Haultain parvient à toucher l'essence même des charmes et de la fascination que le golf entretient chez ses adeptes. Son argument le plus habile survient assez tôt dans la démonstration :

> ... il n'y a pas d'autre jeu dans lequel ces trois facteurs vitaux – physiologique, psychologique et social ou moral – se trouvent mêlés de façon si extraordinaire [la seconde édition substitue « de façon si intime »] ou mis en jeu avec une telle constance... Pour autant que je sache, il n'existe pas d'autre jeu où, pour commencer, l'ensemble du dispositif anatomique soit à chaque coup mobilisé en vue d'une action extrêmement éprouvante et, cependant, d'une rare subtilité ; où, en second lieu, la raison occupe un rôle si prépondérant dans la maîtrise des muscles ; et où, enfin, le caractère et le tempérament de votre adversaire prennent sur vous une emprise si forte que dans le golf. Pour bien jouer, ces trois facteurs du jeu doivent être pesés avec la plus grande précision, et la recherche de cet équilibre subtil apparaît aussi ardue que passionnante.

En d'autres termes, le golf est le seul sport où le joueur doit prendre en charge, de façon permanente et avec la plus grande minutie, son propre entraînement : « Chaque coup, nous dit Haultain, doit se jouer d'un esprit grave, serein, réfléchi » ; le seul sport où l'effort intellectuel et la concentration trouvent une sanction immédiate dans l'action physique. Certes, le joueur de tennis accroupi en fond de court ou le lanceur de base-ball sur son monticule recourent eux aussi à la préparation mentale ; mais ils dépendent aussi, dans une large mesure, d'aptitudes physiques et de réflexes acquis par l'entraînement. Il semble que le golf, en revanche, doive se réapprendre de bout en bout chaque fois que l'on pose le pied sur un tee. S'il nous humilie souvent par l'effondrement soudain de tel aspect du jeu que nous pensions maîtriser, il maintient toujours, et plus encore peut-être pour le débutant que pour l'expert, l'espoir de progrès soudains et spectaculaires. C'est à juste titre que Haultain vante la complexité fuyante, protéiforme, néoplatonique du golf en tant qu'expérience mentale et spirituelle – quoiqu'on puisse trouver datée cette insistance sur sa dimension morale.

Ceux qui savent jouer jouent ; ceux qui ne savent pas théorisent. A partir des difficultés qu'on imagine, le débutant qu'était Haultain a su développer une profonde compréhension des délicieuses tensions du golf. Il donne, à la question récurrente de savoir si le coup est un swing ou un impact, cette réponse mémorable qui tient en une seule phrase : « C'est en fait la subtile combinaison d'un swing et d'un impact, celui-ci venant adroitement s'incorporer à celui-là dès l'instant où la tête de club entre en contact avec la balle, sans que le rythme égal du geste s'en trouve perturbé. » Haultain s'efforce aussi d'exprimer le paradoxe élégant qui constitue le golf – somme d'outils, de recommandations, de détours imprévus concourant tous à réaliser un objectif d'une simplicité biblique : « Faire tomber une balle dans un trou, voilà qui devrait constituer un sommet de facilité. » Les obsessions darwiniennes du siècle passé ont aiguisé sa perception de ce duel primitif que le golf dissimule sous des assauts de politesse, un combat où l'adversaire ne constitue qu'un ennemi secondaire : l'ennemi principal reste la « grande Nature elle-même » sous la forme du parcours. Le dernier paragraphe de ce dithyrambe des parcours nous entraîne vers des sommets :

> Mais ne faut-il pas porter aussi les plaisirs simples du jeu, avec leurs effets sur la raison comme les sentiments, au compte des séductions et mystères du golf ? Ma connaissance des links est à ce jour limitée, mais celui où j'ai mes habitudes recèle des merveilles qui, au débutant que je suis, se montrent aussi saisissantes que les plus vastes panoramas : collines, vallées, forêts, les scintillements d'un lac lointain... un vent vif qui vous accueille au sommet d'une butte, les effluves pénétrants qui montent de la verdure, l'odeur tiède des sapins à midi, le parfum aqueux des feuilles d'automne, l'air humide et lourd des vallons à l'aube, les poumons saturés d'oxygène, cette impression de liberté qu'inspirent les grands espaces, l'euphorie, l'amplitude, la légèreté, l'ivresse... Et que de beauté dans un links à l'aube, encore désert, quand une rosée virginale luit sous les drapeaux pendants et que de grandes ombres sereines s'allongent sur les greens ; que nul caddie ne vient troubler les tertres silencieux et que, d'un pas oisif, on va de trou en trou, savourant les beautés d'un paysage auquel nous serons aveugles sitôt que, le soleil montant, nous lancerons la pièce qui décide du premier honneur !

L'histoire a quelque peu démenti la prédiction de Haultain selon laquelle le golf « ne sera jamais corrompu par le professionnalisme ; du moins ne se pratiquera-t-il jamais entre professionnels achetés à prix d'or, sous les beuglements et les paris d'une foule déchaînée ». Si les foules ne beuglent pas, elles soupirent et applaudissent ; les parcours de tournoi se sont équipés de gradins où l'on paie désormais sa place. Je crains aussi que Haultain ne dût réviser son idée du golf comme un exaltant défi à l'indomptable Nature s'il revenait jeter un œil aux parcours d'aujourd'hui : nos fairways arrosés et saturés de désherbant, nos tees bordés de massifs floraux, nos digues en traverses de chemin de fer lui réserveraient sans doute des surprises. « Le hasard est gigantesque au golf, écrivait-il. Comment en serait-il autrement, s'agissant de propulser un minuscule volume de gutta-percha sur un territoire de plusieurs hectares ? » Sa certitude que les terrains de golf ne seront jamais des tables de billard, que le hasard continuera de lever sa dîme revigorante sur le joueur le plus aguerri serait sans doute ébranlée au vu de ce que bulldozers et arrosages automatiques ont imposé à nos parcours américains. Le règlement moderne, à son tour, conspire contre cette géniale anarchie du hasard. En général, le golfeur d'aujourd'hui refusera un lie sur un divot de fairway tout comme sur une tête d'arrosage ; quant aux « règles d'hiver », elles sont prolongées de façon tacite jusqu'aux beaux jours de juillet. Haultain nous parle d'une chevaleresque jeune dame qui, sur le green, s'était baissée pour essuyer la balle boueuse de son adversaire ; le geste perd de sa noblesse à présent que le règlement l'autorise sans pénalité. Il n'est pas rare de voir, dans un tournoi télévisé, marquer et nettoyer la balle y compris pour un deuxième putt : c'est porter la guerre contre le hasard sur des terrains microscopiques. L'argent et les masses – ces 'Arry et 'Arriet chers à l'auteur de ces lignes, qui s'est penché de près sur la question des classes – ont imposé leur empreinte. Sans doute ont-ils contribué à niveler ce combat de la fermeté humaine et de l'inconstante nature, combat que Haultain exalte en des termes si saisissants.

Mais le cœur innocent du golf, ce va-et-vient entre le « moteur » et nos « centres idéaux » qui survient sitôt que nous prenons notre adresse, le club en main, au-dessus de la balle – cela n'a pas changé. Et n'ont pas changé non plus l'envol puissant du coup bien frappé, le tintement bienvenu du putt qui rentre... Haultain recourt au terme « kinesthésie » pour désigner cet aspect du jeu qui, en dernier recours, doit être cédé à l'instinct, à l'intuition la plus physique ; mais aussi pour suggérer ce qui, dans notre plaisir, touche au défi que nous lance la démesure du terrain, laquelle, à part dans la pratique du tir, ne trouve pas d'équivalent sportif. La variété des coups – depuis le rebond en avant du drive jusqu'au sursaut rétrograde qui caractérise le sand-wedge, sans omettre tous les coups punchés ou coupés que notre nature mortelle nous dicte d'improviser – participe elle aussi des charmes inépuisables du jeu. Mais laissons plutôt la parole à Haultain :

> Le golf exige toute la gamme des impulsions musculaires, depuis la gigantesque volée du drive jusqu'au plus faible des putts. Ces impulsions sont requises sur chaque

coup et se transforment à chaque différence de club, touchât-elle au poids, à la longueur du manche, à l'angle que forme la face du club avec la verticale, à sa rigidité ou sa souplesse, à l'agencement et la nature des matériaux qui en composent la tête. Le golf, en un mot, est une jonglerie démesurée, une prestidigitation prodigieuse, un titanesque jeu de bonneteau, un colossal tour d'escamotage.

La sévérité d'incessantes considérations numériques n'empêche pas le golf d'offrir à ses joueurs des instants de pure magie, sous le grand ciel, entre les immensités de l'espace et celles du hasard ; et la curieuse extase de cette position centrale n'a jamais été décrite avec plus de profondeur que dans ces pages qu'un débutant canadien rédigea, quand ce vieux siècle était encore jeune. Parmi les torrents de littérature dont les golfeurs ont fait leur miel, l'essai de Haultain a gardé la fraîcheur d'une source de montagne.

Le golf américain

Lorsqu'on m'a demandé de venir vous parler ce soir *, j'ai tout d'abord pensé : « Oh, non... je ne joue pas assez bien ! » Mais après réflexion, j'ai conclu que l'un des charmes du golf, c'est précisément que l'on n'y joue jamais assez bien – pas même un Fred Couples, un Nick Faldo, une Laura Davies –, jamais assez bien en tout cas pour satisfaire ses propres attentes comme celles de ses supporters. Le golf est un jeu qui ne manque presque jamais, même au plus haut niveau, d'entacher un parcours d'un ou deux relâchements mais qui, réciproquement, ne manque presque jamais non plus de récompenser le pire des bûcherons, à un moment ou l'autre de sa partie, par le miracle accidentel d'un bon coup. Si je suis venu ce soir – j'ai, au fil des ans, beaucoup écrit sur le jeu – c'est que je me trouve, d'une façon bizarre, disproportionnée, imméritée, heureux sur un terrain de

---

* Pour le centenaire de l'USGA, que l'on célébrait au Metropolitan Museum of Art de New York, le 8 décembre 1994.

golf, et sans doute sommes-nous tous ici pour en gros la même raison.

Mais plus précisément, nous sommes rassemblés pour célébrer le centenaire de l'United State Golf Association. Dans le superbe livre qui commémore cet événement, *Golf : The Greatest Game*, le chapitre que John Strawn a consacré à l'histoire de l'USGA m'a vivement intéressé. On peut dire que cette association doit, pour l'essentiel, d'avoir vu le jour à l'amertume d'un champion de golf : Charlie Macdonald. Celui-ci s'élevait contre l'arbitrage et l'état du rough qui lui avaient coûté la victoire au premier championnat de golf américain, à Newport, en 1894. Une fois que l'USGA fut fondée – dans le but, si l'on en croit les minutes de sa première séance, « de promouvoir les intérêts du jeu de golf » mais aussi « d'établir et de faire observer une uniformité de règles » –, Charlie Macdonald put remporter le premier championnat officiel amateur, lequel se tint en 1895, toujours à Newport. L'USGA fut donc fondée, à l'instar de l'Église d'Angleterre, pour répondre aux insatisfactions d'un seul homme ; et la continuité dont elle a fait preuve pour élire son comité exécutif, depuis l'époque de Macdonald, pourrait rappeler les intronisations épiscopales.

M. Strawn fait également remarquer que le golf américain, assez tôt dans son histoire, s'est distingué sur plusieurs points de ses cousins britannique et écossais. Ce qui était, là-bas, un jeu du peuple, un jeu qu'on pratiquait sur des terres de links dépourvues sans cela de toute valeur, est devenu ici un loisir pour gentlemen qui le pratiquaient au sein d'un country-club. Pourtant un sentiment de justice démocratique a présidé, pouvons-nous lire, à l'abandon du stymie * au bénéfice de cette charmante coutume qui consiste à nettoyer sa balle et à en marquer l'emplacement sur le green. Le golf originel ne s'embarrassait pas de ces détails : seul le club y avait le droit de déplacer la balle entre le tee de départ et la sortie du trou ; il fallait faire avec le terrain comme avec le hasard. Mais dans le Nouveau Monde, un idéal de perfectibilité humaine privilégia le medal-play sur le match-play, de même qu'un comptage des points précis et fidèle fit naître des exigences toujours plus poussées concernant l'entretien des parcours.

Cent ans ont passé depuis que Charlie Macdonald s'est battu pour une harmonisation des règles et des terrains, et je me demande si nous ne sommes pas désormais en danger de prendre le golf trop au sérieux, de trop nous attacher à sa mécanique. L'auteur canadien Arnold Haultain, dans son ouvrage *Le Mystère du golf* – qui constitue peut-être la première méditation littéraire d'envergure sur le jeu – décrit en ces termes un humble parcours de golf :

> Je connais un lointain links, sur une côte occidentale : un neuf trous, situé à des kilomètres du premier train et du premier tram. Il est dépourvu de club-house ; on

* Situation où plusieurs balles se gênent sur le green – du temps où le marquage n'était pas institué et où les balles ne pouvaient être ôtées. *(N.d.T.)*

> jette son pardessus sur une clôture et l'on se met à jouer. Il n'y a ni green ni drapeau : le joueur le plus familier du terrain passe en premier et vous donne la direction. Les départs ne sont marqués que par des endroits où la botte a retourné la terre en sorte d'improviser un tee. Les bunkers sont nombreux ; les mauvais lies, sous la forme d'empreintes de sabots et d'ornières creusées par les charrettes, sont légion... Pourtant... chaque jour vers ce links montent gaiement des golfeurs enthousiastes, qui peinent avec leurs clubs sous le soleil de la mi-août.

Haultain, nous le sentons jusque dans le lyrisme de son écriture, a connu le bonheur sur ce parcours solitaire. Nous pourrions nous demander si notre propre bonheur serait sensiblement diminué si nous trouvions, sur nos parcours, moins de quatre départs soigneusement tondus et encadrés de massifs ; si les distances n'étaient plus indiquées sur les arroseuses ; si les greens étaient à peine moins lisses que des tapis de billard ; si l'on interdisait aux joueurs qui n'ont pas de certificat médical l'emploi des carts ; si l'on proscrivait les bois métalliques. Le golf américain céderait-il à une irrémédiable mélancolie si les constructeurs cessaient de présenter de nouvelles lignes de clubs – toujours mieux équilibrés, toujours plus révolutionnaires –, grâce auxquels les magasins, une fois l'an, suscitent parmi leur clientèle de délirants espoirs technologiques ? En un mot, si l'on injectait un peu moins d'argent dans ce grand jeu d'antan, le golf américain s'en porterait-il plus mal ?

Nous nous sommes tous réjouis, j'en suis certain, de voir dimanche dernier, à la télévision, Tom Watson rentrer un putt de 170 000 dollars. Mais était-ce la somme qui nous réjouissait, ou bien le retour, après tant de déconvenues sur son putting, d'un grand champion, l'un des derniers à nous suggérer par son attitude – avec Lee Trevino et Fuzzy Zoeller – que le golf est aussi un amusement, et pas seulement un calvaire pour perfectionnistes plus impassibles que des joueurs de poker ?

Quand le golf américain est-il devenu adulte ? Certains avanceront 1904, année où Walter Travis remporta le British Amateur Championship – il fut le premier étranger à y parvenir. D'autres proposeront les années vingt, qui virent le grand Bobby Jones gagner l'admiration et l'estime internationales. Mais la plupart citeront peut-être l'année 1913, où Francis Ouimet, un golfeur inconnu de vingt ans, battit les deux plus grands joueurs anglais du moment, Harry Vardon et Ted Ray, lors de l'U.S. Open Championship. Cette stupéfiante victoire a marqué l'histoire du golf et l'histoire tout court. Le logo du centenaire de l'USGA, tiré d'une photographie célèbre, commémore cet événement. Regardons-le : qu'y voyons-nous ? Deux silhouettes ; l'une est celle de notre héroïque golfeur, issu d'un milieu ouvrier. Il a grandi dans une modeste maison, juste en face du country-club de Brookline, Massachusetts. Il ramassait des balles de golf sur le chemin de l'école, il assistait aux matches de l'autre côté de la rue, un membre offrit à son grand frère des clubs dont il n'avait plus l'usage et le petit Ouimet se prit de passion pour le golf.

Francis jouait sans état d'âme. Sur le dix-huitième green de la finale, il lui fallait rentrer un putt d'un mètre cinquante pour pouvoir jouer le play-off au côté des Anglais ; il l'enquilla sans sourciller. Le lendemain, durant le play-off, il battait froidement Vardon de cinq coups et Ray de six. Et qui est l'autre silhouette sur notre logo, la petite silhouette ? C'est le caddie de Francis, un petit garçon de dix ans qui s'appelait Eddie Lowery, les bras chargés d'un sac de toile qui n'a pas l'air de compter plus de huit clubs. Songez aux caddies des tournois d'aujourd'hui : des armoires à glace, des statisticiens de la distance qui transportent des sacs de la taille d'un petit canapé, prenant soin de tourner vers l'œil avide des caméras tous leurs écussons publicitaires.

Le golf américain a fait beaucoup de chemin, mais ce voyage n'a-t-il pas eu son prix ? Entre nos tournois dotés à coups de millions et nos club-houses qui valent encore plus cher, se pourrait-il que nous soyons en train de perdre le charme originel du jeu lui-même ? L'essence du plaisir golfique réside dans la simplicité du grand air, comme sur ce logo où deux enfants de la Nouvelle-Angleterre partent en promenade sous une pluie fine de septembre. A la vérité, tout ce que demande un golfeur pour être heureux, c'est une clôture où jeter son manteau et une cible, quelque part, derrière la montée.

Le golf télévisé

Sans m'être jamais rendu à un tournoi de l'U.S. Open, j'en garde des souvenirs qui me resteront à jamais. Je revois encore Arnold Palmer piétiner les buissons pour aller jouer ce coup qui lui donna sept points d'avance sur Billy Casper pendant la finale de 1966, à Olympic ; et le fabuleux chip-in de Tom Watson, sur le par 3 de Pebble Beach en 1982 ; Hale Irwin, qui s'en allait d'un pas vacillant dans le rough d'Inverness, en 1979 ; Andy North, dont le dernier chip, à Cherry Hills, finit dans un bunker mais qui sauva le par d'une grande balle verticale ; et Julius Boros, ici même *, il y a vingt-cinq ans, qui promenait vers la victoire un swing si nonchalant qu'on aurait cru qu'il maniait une badine. Ces souvenirs, bien entendu, je les dois à la télévision, qui est la façon dont la plupart d'entre nous regardent le golf.

---

* Au golf de Brookline (Massachusetts), qui accueillit l'U.S. Open en 1988. Cet article m'avait été demandé par l'organisation du tournoi.

Aucun sport ne profite comme le golf d'une retransmission télévisée. Au lieu de courir çà et là entre les cordes et les arbitres, de s'efforcer de voir quelque chose par-dessus des centaines de têtes, on reste assis confortablement pour se faire montrer chaque coup en gros plan. Lorsqu'on assiste en personne au tournoi, il est rare de se trouver au bon endroit, celui d'où monte un tonnerre d'acclamations quand rentre le putt pour l'eagle. A la télévision, on vous repasse le putt au ralenti, cependant que l'expert de service dissèque le green sans omettre un brin d'herbe. Grâce aux progrès de la couverture télévisée, le réalisateur a désormais à sa disposition les images des dix-huit trous à la fois ; à charge pour lui de soumettre nos écrans à un régime de crise permanente : les putts manqués ou réussis, les drives parfaitement alignés ou ceux qui partent de travers, les fers ciselés droit sur le drapeau et ceux qui dévient, oui, aïe, dans un bunker... S'y ajoutent les vues d'hélicoptère, les graphiques informatiques détaillant chaque trou, le délicieux accent britannique des commentateurs, les bons conseils que Lee Trevino nous nasalise en vrai Texan de souche, les interviews de douze secondes où se révèle l'étincelante personnalité de tel ou tel blondinet, nouveau venu parmi les champions (« J'essaie de faire de mon mieux chaque semaine et pour le reste, c'est à la grâce de Dieu »), les irrésistibles publicités pour Cadillac et E.F. Hutton. Quand votre épouse, pour la troisième fois et d'une voix trahissant une vive irritation, vous appelle à la table du souper, on s'extrait enfin du canapé informe, la tête pleine de merveilles golfiques, les yeux encore éblouis par la beauté du jeu, la pureté des greens, l'élégance des swings, le mauvais goût des pantalons, l'épaisseur du portefeuille, la splendeur manucurée des eucalyptus, ou des sapins, ou des palmiers, suivant les circonstances.

Et cependant, il manque quelque chose à l'expérience télévisuelle du golf : la troisième dimension. L'espace serein du jeu entier, l'envol musical de la balle bien frappée. A la télévision, le coup semble toujours dévier à droite, comme sous l'effet de la pire talonnade. Et chaque fois, l'on est surpris d'apprendre que la balle qui vient de sortir à droite du cadre était en fait alignée à la perfection – que, loin de constituer une talonnade, le coup a fini à trois mètres du drapeau. En outre les distances sont impossibles à évaluer sur le petit écran : on voit les joueurs sortir un fer 9 pour viser une cible que l'on jugerait à des kilomètres. Sur les greens, pentes et plats ne sont plus lisibles, en sorte que chaque putt semble subir les effets curieux d'une sorte de champ de force indépendant de ses contours – contours dont la topographie réelle nous sauterait aux yeux si nous étions là-bas. Car être sur place compte pour beaucoup de nos plaisirs golfiques : la marche, les attentes entre les coups, les matières et les odeurs d'un parcours en plein air, la réalité sensible des clubs. Le golf ne se suffit pas de la seule vision : un putt d'approche, après un examen attentif du terrain, se joue finalement *au toucher*, et si, dans notre cerveau, les données visuelles de l'hémisphère gauche interfèrent par trop avec l'intuition de l'hémisphère droit, il y a de fortes chances pour que le putt se révèle trop court ou trop long. La télévision rabaisse le golf au rang d'un spectacle en deux dimensions – lequel, au bout du compte, n'offre pas plus de profondeur qu'un film pornographique. A force de ne montrer du golf qu'une série de putts qui rentrent ou ne rentrent pas, elle refuse sa complexité à un acte voué au plaisir, l'ampute de tout préliminaire, de toute émotion, de tout un immense contexte terrestre et atmosphérique qui correspond, dans cette métaphore peut-être excessive, à la séduction.

Rien ne peut, au golf, se substituer au plaisir de jouer. Certes, on a pu voir des gens parmi les plus pacifiques s'enflammer pour la retransmission d'un match de football américain et ce, sans avoir jamais connu ni l'impact du blocage au corps ni la rude caresse d'une prise efficace ; il est également certain que la boxe et le catch ont leur public de purs voyeurs : mais le golf ? On imagine mal qu'un parfait néophyte puisse s'intéresser plus d'une minute ou deux à un tournoi de golf télévisé. Quant à nous, nous regardons ces retransmissions, ce me semble, dans l'espoir d'améliorer notre propre jeu. Il est en effet très possible, sur un parcours, de s'entraîner en s'imaginant dans la peau d'un champion – Weikopf, Snead – dont nous connaissons le swing par cœur. En s'efforçant d'imiter ce swing d'un bout à l'autre, on a de bonnes chances d'accomplir correctement les étapes intermédiaires et de frapper la balle avec une autorité nouvelle.

Cet exercice semblera peut-être un rien naïf ; reste que l'observation répétée des champions à la télévision profite à la préparation du swing. A l'adresse, ils fléchissent *toujours* les genoux : ils s'assoient vers la balle au lieu de se pencher vers elle les jambes raides. Ils tournent *toujours* le dos au trou, librement, sans s'inquiéter – comme souvent les mauvais joueurs – de perdre leurs repères. Et *jamais,* dans la fraction de seconde déterminante de la descente, jamais ils ne précipitent la frappe avec les bras et les poignets : ils se contentent de pivoter la hanche gauche, laissant les grands muscles entraîner les petits dans le moment d'impact. Quand ils jouent un fer, ils lèvent toujours un divot résolu. Leur finish, s'il n'est pas forcément haut, se fait toujours, du moins, en avant, plutôt que de laisser le poids du corps sur le pied droit et les bras enroulés autour du buste. Dans un bunker, ils jouent un plein swing, bien loin de ces mouvements en cuiller que nous effectuons avec l'énergie du désespoir, les yeux mi-clos par peur de l'explosion. Sur le green, la tête immobile, ils caressent la balle au lieu de la poignarder, comme nous, levant aussitôt nos yeux de chien battu.

Dans les limites de ces éternelles leçons, le golf télévisé présente un éventail rassurant de styles divers. Le spectateur assidu s'aperçoit qu'on peut jouer au plus haut niveau malgré un décrochage au backswing aussi prononcé que chez Calvin Peete, une orientation verticale à l'apogée comme chez George Burns ou Miller Barber, un arc aussi écrasé que chez Trevino, l'impatience d'un Craig Stadler ou un swing en boucle, comme chez Fuzzy Zoeller ou Raymond Floyd. Au paradis du golf, tous les swings ne sont pas jolis, et de très jolis swings demeurent au purgatoire faute – humaine faute – de confiance, de zèle, d'esprit combatif, de concentration. Mais en règle générale, si vous arrivez à swinguer comme Sam Snead et Curtis Strange *, vous vous en tirerez mieux que si vous imitez Arnold Palmer (qui joue en coup punché et réprime son follow-through) ou Tom Watson (élégant, mais si rapide). Le golf à la télévision, comme le débat politique, nous permet de juger nos supérieurs depuis notre fauteuil en nous posant la question : « Pourquoi eux et pas moi ? »

Si notre attention s'égare devant le tube cathodique, que nous piquons un somme ou que nous passons sur la chaîne de cinéma, la réponse pourrait bien se trouver là. Les champions de golf ne commettent pas de faute d'inattention. A l'heure où nous les regardons disputer l'Open, ils ont déjà joué le tournoi pro-amateur du mercredi, ont effectué un parcours d'entraînement le mardi avec leurs pairs ou leurs agents, ont peut-être même trouvé le temps d'un match de démonstration le lundi. Ils ont de surcroît frappé des centaines de balles sur le practice et pris une leçon par téléphone (en longue distance, il va de soi) avec leur vieil entraîneur universitaire de Wake Forest. Ce serait là un régime épouvantable

* Ce dernier remporta justement l'U.S. Open cette année-là. Et je n'ai *pas* rajouté son nom par la suite.

pour ceux d'entre nous qui considèrent le golf comme un désert de la vie.

Nous nous caractérisons aussi, nous autres les golfeurs du dimanche, par une secrète envie de perdre. Vous ne vous êtes jamais surpris, sur un petit match du mercredi où vous menez par une avance inconcevable, à rater volontairement vos coups ? A paniquer aux trois quarts d'un excellent parcours, alignant trois bogeys d'affilée, parce que vous savez que vous ne jouez pas à votre vrai niveau ? A vous ennuyer sur le fairway et à expédier la balle en slice vers les arbres, histoire de pimenter la partie ? Les golfeurs qu'on voit à la télévision ne se lassent jamais de leur jeu régulier. Peu leur importe de toujours toucher le green en deux coups de moins que le par. Et quand nous les faisons disparaître d'une pression sur la télécommande, ils continuent tout de même à jouer. Voilà pourquoi ils sont au-dedans des lucarnes et gagnent des millions, tandis que nous sommes au-dehors, à nous engloutir au fond du canapé.

Mémoires d'un arbitre

Je me considère comme un individu normalement ambitieux, pourtant je n'ai jamais aspiré à la fonction d'arbitre en U.S. Open. Cet honneur m'échut de lui-même en 1988, lorsqu'un rustique club du nord de Boston, dont j'étais un membre récessif, fut invité à fournir des arbitres pour le septième trou du club de Brookline. On chercha des volontaires. Comment dire non ? Pour quelques centaines de dollars, je fis l'acquisition d'un badge qui me donnait accès à tous les parcours, d'un pantalon en écru, d'un affriolant tee-shirt à rayures vertes et blanches, d'un chapeau très chic qui me faisait mal à la tête et d'un coupe-vent brodé, pour l'occasion, d'un écusson montrant un écureuil, comme un vrai blouson de chef de gang à Los Angeles.

Mon premier jour de service tomba le mercredi, quand les compétiteurs effectuaient leur parcours d'entraînement et que les chasseurs d'autographes et autres accros de la célébrité interdisaient d'approcher ces dieux vivants. A cet égard, le couple Jack Nicklaus-Greg Norman fut le plus terrifiant : une meute déchaînée les suivait de trou en trou. Quand vint le moment où le charismatique duo délaissa la sécurité du septième départ pour s'aventurer sur le huitième, les arbitres se rabattirent tout autour d'eux en une phalange protectrice ; je n'oublierai pas de sitôt ce que cela fait de participer à un rempart humain. Les autres arbitres, qui semblaient tous plus jeunes et costauds que moi, piétinaient mes chaussures à l'envi, y enfonçant de temps en temps leurs crampons. Pendant ce temps, les deux figures bien roses des superstars grimaçaient des sourires au hasard de nos râles et de nos piétinements. Nicklaus parvint même à dédicacer quelques livres et programmes qu'on lui glissait soit par-dessus nos têtes, soit par les ouvertures entre nos oreilles.

Quand le tournoi commença, les joueurs se transportèrent sur un autre plan de réalité, en théorie du moins. Quand un pro – je l'avais reconnu, mais son nom m'échappait – nous avisa sur le tee pour annoncer que le distributeur d'eau était posé trop bas, qu'on risquait de craquer son pantalon en se penchant pour se servir, notre stupeur fut si grande que nous ne trouvâmes rien à répondre. Exaspéré, le pro souleva lui-même les deux tonnes du distributeur et les abattit sur un banc voisin. Je venais de découvrir un nouveau péril du circuit : le pantalon qui craque.

L'après-midi, comme j'étais préposé aux cordes, j'entendis Lee Trevino qui passait en discutant, dans un espagnol tout aussi animé que son anglais, avec le frère et caddie de Seve Ballesteros. Quel bonhomme ! Je me suis demandé s'il aurait aussi parlé japonais à Jumbo Osaki. L'émotion me gagna : je venais d'entendre la grande voix de l'Amérique. Mais le reste de la journée se passa dans une hébétude proche de l'insolation, surtout quand on me depêcha en renfort dans une petite dépression sans ombre, à mi-chemin du trou, un no man's land caniculaire que les piétinements de la foule avaient transformé en gigantesque réservoir de poussière. J'en ressortis avec l'impression d'être passé au micro-ondes, et plus poudreux qu'un beignet au sucre.

Le poste le plus agréable était sur le green de notre long par 3 : on y trouvait l'ombre bienvenue des arbres et, derrière les cordes, des spectateurs disposés à bavarder. A l'occasion, on pouvait même courir, d'un air important, garder un drive égaré jusqu'à ce que son joueur vînt le réclamer, vous remerciant au passage d'un sobre signe de tête. Je me rappelle combien la balle de golf paraît quelconque dans cet intervalle entre deux coups : on croirait voir la figure lasse d'un acteur qui se repose en coulisse. Tout à l'heure, les multitudes n'avaient d'yeux que pour elle ; ce n'est plus désormais qu'une simple sphère à demi cachée par l'herbe anonyme. Cette impression d'être en coulisse (on entend les joueurs soupirer, on voit la sueur perler à leur front ; mais on se laisse aussi bercer par ces moments intenses qui feront les gros titres, qu'immortaliseront les livres des records) donne tout son prix à la fonction d'arbitre. La prochaine fois que Brookline accueillera l'Open, je m'enrôlerai pour un poste sur le banc, près du distributeur d'eau.

Travaux de femmes

Le pays légendaire des Amazones n'a cessé de s'éloigner à mesure que progressait la géographie des Grecs anciens. Au début, si l'on en croit *L'Iliade*, elles demeuraient et combattaient en Phrygie et en Lycie. L'*Æthiopis* en fait venir un contingent de Thrace. Puis, quand la mer Noire fut colonisée, la rumeur déporta leur territoire aux confins du monde connu, sur les rives du fleuve Thermodon. Hérodote raconte que les Amazones, chassées du Thermodon, débarquèrent près du lac Maiotis et finirent par s'établir au cœur de la Scythie. Au XVIe siècle de notre ère, l'explorateur espagnol Francisco de Orellana crut les avoir rencontrées sur l'imposant fleuve sud-américain auquel il donna leur nom. Et voici que notre quête de ces créatures fabuleuses nous amène au Salem Country Club *.

Les Amazones, nous disent les anciens, avaient cou-

* C'est là qu'en 1984 se tint l'Open féminin de l'USGA. Ces réflexions furent rédigées pour le programme du tournoi.

tume de s'amputer du sein droit pour tirer plus commodément à l'arc. Dans les compétitions d'aujourd'hui, elles gantent leur main gauche en sorte d'avoir meilleure prise sur leurs armes glissantes d'acier creux. Les sculpteurs classiques les ont figurées dans la tunique légère d'Artémis, haut cintrée afin de ne pas entraver leur course ; sur des vases de facture plus récente elles portent des pantalons serrés, une haute coiffe appelée *kidaris.* Nos modernes Amazones, elles, ont des jupes de golf qui s'arrêtent au-dessus des genoux ou, de plus en plus (et de plus en plus courts), des shorts ; sur leurs têtes bouclées, une visière épargne à leurs traits délicats les cruels assauts du soleil, fatalité de leur sport.

Oui, c'est un spectacle cruel que de voir ces guerrières arpenter les buttes, le visage creusé par les rudesses du climat, le front noirci de concentration. On aimerait qu'elles sourient davantage ; en général, les femmes sourient, à tort ou à raison. Mais nos Amazones livrent d'authentiques batailles, pour de lourds enjeux et pour la gloire nationale. Leurs yeux, si pâles sur leurs traits hâlés, travaillent à l'ombre des visières, estiment la distance au green, évaluent le coefficient d'une pente avec la même concentration que les mathématiciens, les marins ou les golfeurs mâles. Nul ne peut être sauvé de ce tourbillon qu'est un match de golf, et nos élans de galanterie resteront là, bêtement plantés derrière les cordes.

Dans un tournoi de golf féminin, un homme – reconnaissons-le – est la proie d'émotions très mitigées, parmi lesquelles nous citerons :

(1) L'adoration et le saisissement de songer que semblables beautés, souvent graciles et, dans le cas de l'auteur, assez jeunes pour être ses filles, lui infligeraient sans peine la pire des raclées à ce jeu de distances vertigineuses et de nerfs d'acier.

(2) Le mépris de soi devant cette même idée.

(3) Ce curieux plaisir sensuel que l'homme éprouve à regarder des femmes qui se battent, quand bien même ce n'est pas pour lui. La légende des Amazones, pourrait-on avancer, constitue la projection mythologique du désir, chez l'homme, de l'agressivité féminine. Ce désir naît chez lui avec l'espoir que sa mère le protégera de toutes ses forces. Il engendrera par la suite le regret amer de s'être vu confier, par la société, l'initiative de la séduction et de l'accouplement – toutes tâches qu'il est très apte à rater complètement. La femme redoutable est un archétype profondément plaisant, surtout quand la société fait par ailleurs tout son possible pour retirer aux femmes le moindre pouvoir. Le XIXe siècle s'est baptisé victorien d'après une femme, et c'est de cette société d'esclavage en chambre que sont issues les Florence Nightingale, les George Eliot et les Madame Blavatsky. Maintenant que ce siècle-ci touche à sa fin, l'image de la femme idéale a pris un tour plus athlétique ; le féminisme militant a trouvé son exutoire dans les doubles mixtes et l'aérobic. Mais il reste en nous, les hommes, un fond de réprobation mêlé d'attirance devant le spectacle de femmes qui se livrent une lutte sans merci.

(4) L'intérêt avide de l'étudiant. Le golfeur de base

peut apprendre beaucoup du swing de la golfeuse : parce que c'est avant tout *un swing* – et pas un coup de poignard, ni une poussée, ni une volée de base-ball. L'homme qui swingue n'importe comment parvient quand même à envoyer la balle sur une distance convenable à force d'avant-bras, de poignets et de pouces ; la femme est obligée de recourir à ses grands muscles et de jouer son swing en rythme, comme nous devrions tous le faire. La rectitude des drives dans les tournois féminins est, à cet égard, une merveille que l'on ne peut qu'envier et chercher à reproduire. Le calme gracieux de la plupart des coups l'exprime mieux que les mots : « Laisser faire le club. »

(5) Un sentiment d'abandon. Cet essaim de compétitrices se transportera, tel un vol de gerfauts hors du charnier natal, sur un autre champ dès la semaine suivante, pour y cueillir les primes et redéfinir sa hiérarchie interne. Ce qui est bien dans leur nature. Hérodote rapporte que les Amazones, auxquelles une armée de Scythes amoureux proposaient le mariage, répondirent : « Nous redoutons de nous installer ici, car nous avons beaucoup pillé ce pays. » Elles firent une contre-proposition : « Si vous souhaitez nous garder pour femmes et vous comporter en hommes d'honneur, retournez chez vous, demandez à vos parents les biens qui vous sont dus, et partons vivre par nous-mêmes. » Car, expliquèrent-elles : « Vos femmes à vous passent leur vie dans leurs chariots à s'occuper de tâches féminines. Elles ne sortent jamais

pour aller à la chasse ou pour quoi que ce soit d'autre. »

Tout en précisant, à l'adresse des Scythes consternés : « Nous manions l'arc et le javelot, et ne savons rien des travaux des femmes. »

La vie est-elle trop courte pour jouer au golf ?

La conversation, à table, venait de tomber sur les mots croisés. « La vie est trop courte, assenai-je, pour perdre son temps aux mots croisés.

– Oui, se hâta d'approuver la charmante jeune dame qui siégeait à ma gauche. Aux mots croisés et au golf. » Là-dessus, un léger accès de panique vint agrandir ses yeux : sans doute se souvenait-elle qu'à une ou deux reprises, je m'étais déclaré fervent adepte, sinon brillant joueur.

« C'est une activité prenante », concédai-je d'une voix gracieuse. La rougeur de ma convive s'atténua graduellement et nous passâmes à des sujets moins explosifs.

Pourtant l'échange m'avait donné à réfléchir. Quelle part de ma vie avais-je passée à jouer au golf, et aurais-je su dire, à présent que mes jours touchent à leur terme, si ce temps avait été bien employé ? Bien sûr, en comparaison à d'autres golfeurs, je n'y ai pas passé tant de temps. Jusqu'à l'âge de vingt-cinq ans, tandis que plus d'un et plus d'une, parmi mes amis golfeurs, se perfectionnaient déjà sur les links entre mars et novembre, le nez brûlé par le soleil, je n'ai pas consacré une seule minute à ce passe-temps. Au lieu de cela, je passais de longues heures à m'efforcer de confondre, toujours en vain, l'assassin dans les romans policiers, à m'initier au dessin à la plume et à maîtriser, en compagnie d'autres désœuvrés de mon âge, des activités sportives aussi peu profitables que le hockey-pugilat, le flipper, le basket-ball à un seul panier. Vint la puberté et je me mis au golf, considérant que, puisque j'étais désormais auteur à la pige, il fallait bien que j'occupe mes après-midi.

Mes après-midi, à cette époque, paraissaient plus libres qu'aujourd'hui, bien que le temps passé à tâcher de noircir les pages blanches soit demeuré sensiblement le même. Mais à cette époque, il y avait moins de courrier appelant des réponses, le téléphone sonnait moins souvent, il n'y avait pas d'engagements verbaux à remplir et moins d'épreuves à corriger, moins de raseurs à ménager – en un mot, moins d'annotations marginales au texte de ma vocation. J'avais des enfants en bas âge, je travaillais chez moi et j'avais besoin, de temps à autre, d'aller prendre l'air. Le golf était un sport que l'on pouvait pratiquer – et auquel on pouvait s'entraîner – en solitaire. Et puis, la nuit tombée, restaient les ouvrages spécialisés où l'on allait chercher le conseil magique, la formule qui exprimerait en quelques mots toute la mécanique du swing et qu'il suffirait de se répéter intérieurement pour transmuer à chaque coup le vil plomb de la médiocrité en l'or le plus pur.

Le jeu exerça sur moi une fascination immédiate. La différence entre le bon et le mauvais coup couvrait des espaces défiant mon imagination, tandis que celle qui sépare le bon swing du mauvais me paraissait microscopique. Même à mes tout débuts, j'ai connu de temps à autre l'heureuse surprise d'un coup superbe : mais les heures et les étés eurent beau s'accumuler sur les parcours, je ne semblais pas plus près d'en retrouver la recette, ne fût-ce qu'un coup sur deux. Les fluctuations de mes progrès golfiques s'exprimaient en un diagramme d'une rare incohérence, où des pics du plus haut lyrisme succédaient à des abîmes de pure humiliation : le coup trop gras qui fait tressauter la balle à l'ombre de son divot, le coup trop sec qui trottine sur le green tel l'oiseau éclamé, le hook étouffé qui finit dans les framboisiers, le vol majestueux d'un slice au-dessus de l'autoroute, le chip ridiculement court, l'approche talonnée, la balle noyée, la balle enlisée, le ricochet qui repart plus loin dans le bois, la sortie en explosion de bunker à bunker, le coup dans le vide au premier tee, le putt tapé deux fois à soixante centimètres du trou. Voilà un sport qui promettait.

Quoique le rejeton d'un professeur d'athlétisme, je n'ai jamais brillé en sport dans mon enfance. A l'école ou sur les terrains, les athlètes-nés de ma Pennsylvanie natale me faisaient régulièrement mordre la poussière, l'herbe ou les planches cirées du gymnase. J'avais une curieuse tendance – moi qui, en classe, me montrais plus vif qu'eux – à perdre la tête durant les pauses au basket, dans le piétinement des mêlées, ou face aux urgences immédiates du base-ball. Je découvris, dans le pas tranquille du golf – où la balle ne s'en ira pas sans vous –, un jeu d'où la panique était exclue, et où il me serait possible de méditer mes progrès à mon rythme. Même si, encore aujourd'hui, ces athlètes d'antan me battraient sans doute encore les doigts dans le nez, j'ai trouvé, dans les pâturages rocailleux et transcendantalistes de la Nouvelle-Angleterre, des semblables auxquels j'ai pu me mesurer, gagnant moi aussi mon lot de nassaus grâce aux joies de la compétition amicale. Mes parties de golf, à raison d'une ou deux par semaine, ont constitué des îlots de félicité dans ma vie et j'éprouve pour mes nombreux partenaires, dont certains ont désormais quitté ce monde, une affection dont la pudeur m'interdit de donner toute la mesure. Je crois qu'il est dur de détester un homme une fois qu'on a joué au golf avec lui.

Avant de nous demander pour quelles activités la vie se montre trop courte, interrogeons-nous sur la nature humaine. Par exemple : la vie est-elle trop courte pour faire l'amour, ou bien le sexe en constitue-t-il la finalité ? Hommes et femmes ont besoin de jouer ; une vie privée de toute distraction ludique est une vie mal employée. Même les mots croisés peuvent trouver leur place dans certains équilibres psychologiques. Aux mots croisés comme au golf, on s'échine à résoudre un problème que la nature ne nous a pas posé. La sélection naturelle n'a jamais exigé que nous sachions expédier une balle dans un trou en un minimum de coups.

On objectera qu'une telle tentative, avatar lointain du tir à l'arc, répond à de très vieux instincts cynégétiques ; que les vastes étendues du parcours renvoient à ces territoires primitifs où l'animal humain trouva son âme. Il faut reconnaître que le spectacle de notre fairway favori s'étendant à l'horizon est un baume pour les yeux et pour le cœur. Notre périple tortueux vers le dix-huit, voilà une quête à laquelle l'homme préhistorique serait sensible, et les fatigues mêmes de la traversée participent de son honnêteté primitive. Une distance plus raisonnable (disons, douze trous) ne trouverait pas autant d'échos symboliques : elle perdrait sa dimension religieuse de martyre. La nature même du golf veut qu'on ne puisse pas se débarrasser comme cela d'une partie : elle doit être un voyage.

Certes, j'ai parfois regretté d'avoir quitté mon bureau, où une page commençait enfin à se décanter, pour courir à un rendez-vous golfique. Il y a eu des moments où, tandis que je m'épuisais sur la pente du treizième trou pour continuer un parcours médiocre par une journée torride, je me suis demandé ce que je fabriquais là. Mais à vrai dire, de tels instants sont rares, car rare est la partie qui ne connaît pas ses soudaines récompenses, ses petits revers de fortune. A supposer quatre golfeurs de force variable, chacun aura l'occasion, entre le premier et le dix-huitième trou, de vivre un moment de gloire passager que salueront les applaudissements des autres. Quand les grands espaces du jeu réjouissent le cerveau et les nerfs optiques, les amours tumultueuses du métal et de la balata stimulent les élans lyriques.

Autant dire que la vie est trop courte pour dormir que de la dire trop courte pour jouer au golf. Car, à l'instar du rêve, le golf nous ouvre les portes d'un autre monde dont nous ressortons comme rajeunis. Le golf retourne la vie comme un gant. Il repose les parties trop employées de nous-mêmes tout en faisant travailler certains aspects négligés : l'évaluation d'une distance à l'œil nu, la mystérieuse connexion entre les mains et les pieds. Contre les heures et les journées qu'il m'a prises, le golf m'a gratifié d'un autre moi, ce moi golfique qui m'attend patiemment sur le premier tee, une fois que j'ai dépouillé mes autres personnalités de travailleur et d'amant, de père et de fils. Le golf rallonge la vie, aurais-je dû répondre à cette jeune dame.

Le golfeur yankee

La Nouvelle-Angleterre – petit conglomérat de six États, ressemblant à une main vêtue d'une mitaine qui dirait au revoir à l'Europe – ne semble pas de prime abord un terrain très propice au golf, sport avide d'espace. Le sol y est rocailleux, la saison très courte. Dans mon État, le Massachusetts, le golfeur déterminé peut s'aventurer sur des parcours boueux et à peine verts sitôt que soufflent les vents glacés d'avril ; il raccrochera ses clubs aux premières neiges, qui surviennent en général vers la fin de l'automne. A Cape Cod, certains parcours restent ouverts tout l'hiver ; dans les trois États du nord de la Nouvelle-Angleterre, la saison de golf n'est rien de plus qu'une suspension momentanée de la saison de ski.

Pourtant, à la différence du Southwest, nous avons de la pluie ; et, contrairement à la Floride, nous avons des collines. En outre, rares sont les étés où il fait trop chaud à midi pour se risquer sur un parcours. Le beau temps s'installe, par une succession cruelle d'à-coups, jusqu'au Memorial Day * ; soudain, il resplendit, et l'irruption des feuilles rétrécit les fairways. Les feuillages caducs – chênes, érables et noyers – dominent, formant de denses remparts de végétation. Le rough, qui ne s'était montré, tout le printemps, guère plus hostile que les fairways, est brusquement envahi par les marguerites, les renoncules, les fraises des bois, les framboisiers, l'herbe à bison et des empreintes de malheureux chasseurs de balle. Fin juin, les velours côtelés ont cédé la place aux bermudas ; les pulls tombent l'un après l'autre pour découvrir enfin le tee-shirt de polo. De petits nuages de poussière montent bientôt des divots et les fairways prennent le lustre des chemins à voiturettes. Les files d'attente s'allongent devant les parcours publics. Les clubs privés organisent des tournois ; le vainqueur trône au sommet d'un diagramme qui ressemble à une pyramide de broches pour barbecue. La frénésie estivale commence pour le golf de Nouvelle-Angleterre

Les moucherons essaiment en mai, moustiques et taons pullulent près des salines, mais le golfeur n'a pas à craindre les alligators et les chances sont minces pour que sa balle finisse dans le trou d'un lézard venimeux. La place est chère dans cette région où l'urbanisation a commencé de longue date. En conséquence, les terrains restent courts : même le Country Club de Brookline, où se sont tenus deux U.S. Opens depuis la Seconde Guerre mondiale, est forcé de

* Le 30 mai. *(N.d.T.)*

combiner plusieurs trous pour allonger son tracé. Mon parcours local de Myopia, à Hamilton (Massachusetts), a accueilli quatre Opens entre 1898 et 1908 ; son tracé de 5 889 mètres a par la suite révélé ses limites. Mais c'est déjà bien assez pour moi, comme pour la plupart de ses habitués.

Le rough, en Nouvelle-Angleterre, est tenace. Les bois sont touffus, agrémentés d'épineux et autres sumacs vénéneux. Jouant à Augusta, je m'émerveillais de trouver un confortable tapis d'aiguilles sous les sapins de Géorgie, lesquels ne présentaient guère plus de difficulté que des poteaux téléphoniques bien espacés. En Nouvelle-Angleterre, on se fraye un chemin dans un décor que la main de l'homme a certes transformé, mais qu'elle n'a pas créé de toutes pièces. Certains passages, sur nos parcours, n'ont d'ailleurs presque pas changé depuis l'époque des Puritains et n'ont subi que de très rudimentaires aménagements. Le Nouveau Monde ne disposait pas de terres de links aussi propices au golf que les dunes des îles britanniques, mais un idéal de links spartiate a présidé à l'élaboration de nos plus vénérables tracés, jusque dans ces petits tertres artificiels qui bordent, par exemple, le septième green de Brookline. Ce parcours, où Ouimet battit Vardon et Ray et où, plus récemment, Julius Boros et Curtis Strange remportèrent des Opens âprement disputés, est le plus splendide des tracés à l'ancienne. Il n'est qu'à voir les sombres roches – que les géologues appellent poudingues – qui dominent de leur éminence originelle le trou onze, dont le surnom, « les Himalayas », exprime bien le caractère intemporel, méditatif et bienveillant de ce vénérable parcours.

Que le golfeur yankee relève la tête du jeu, il sera récompensé par des perspectives variées, dont aucune ne peut approcher cette immense étendue de salines, de plages et de rivières qui se découvre sur le quatrième départ de Cape Ann, un neuf-trous public. Au Winchester Country Club, le premier drive se joue sur une montée prononcée ; à Wellesley, les greens des deux neuf sont surélevés et, bien souvent, le drapeau n'est pas visible. A l'Essex County [*sic*] Club de Manchester-by-the-Sea, le dix-huit vous demande de frapper face au soleil pour franchir une colline herbeuse, puis le croissant d'une crique bleue et, enfin, un pan de marais pour faire bonne mesure. Il y a des années que je n'ai pas joué à Sugarbush, dans le Vermont, mais je me rappelle encore cette impression de viser derrière une montagne, sur des fairways en tire-bouchon, bordés à gauche par un versant broussailleux, à droite par la cime des pins. Le deuxième tracé du Colonial, à Lynnfield, paraît flotter juste au-dessus de l'eau, comme Venise. Bass Rocks, à Rockport, mérite bien son nom * : des formations granitiques surplombent tout le parcours, occasionnant plus d'un rebond surprenant. Il est rare que le golf en Nouvelle-Angleterre ne soit pas au moins l'occasion d'une agréable promenade.

L'automne pare les terrains d'une beauté particulière. Les érables s'éclairent d'un roux tirant sur le

* Littéralement, « Rochers de la perche ». *(N.d.T.)*

rose, les noyers prennent un jaune de beurre, les chênes revêtent un brun de rouille. Les branchages se dénudent peu à peu : de nouveaux pans de jour tombent sur les fairways. La vision porte plus loin ; des perspectives oubliées resurgissent. La lumière rase de l'automne souligne le relief des buttes et des creux. Le parcours a mûri, c'est la saison bénie de la moisson. Des oies sauvages crient dans le ciel, des écureuils constituent en hâte leurs provisions de glands et le golfeur, allant d'un pas vif, se croit au paradis. Les jeunes sont à l'école, les vieux se sont retirés en Floride. Le survivant reste seul maître du parcours, jusqu'à la première neige.

Le golf en automne n'a pas que des avantages. Les feuilles mortes viennent masquer les balles égarées – mais on pourra toujours invoquer une provisoire « règle des feuilles » dont l'emploi généreux permettra d'accélérer la partie. Les plumes d'oie recroquevillées et les bouts de coton sauvage imitent à s'y méprendre la balle perdue. Dans la lumière rase, l'herbe elle-même brille parfois comme un parquet ciré. Le gazon des fairways, sitôt que le gel s'en mêle, se couvre d'une carapace de boue. Les tortillons de vers foisonnent soudain et les greens, aérés en octobre, gardent une sorte de rembourrage qui fait tressauter la balle. Le sable des bunkers prend une consistance de ciment qui sèche et inexorablement, à mesure que les jours raccourcissent, l'équipe d'entretien retire les marqueurs de tee, les poteaux de métrage et, pour finir, les drapeaux. Mais rien n'empêche de jouer en recourant, une fois sur le green, à une balle de rechange pour simuler le trou. Un trou fait un peu moins de trois balles en diamètre, si bien qu'on peut considérer tout contact comme un putt rentré. J'ai même vu un groupe se servir d'un portefeuille en guise de cible... Lequel portefeuille n'a pas besoin d'être matelassé : nous autres, Yankees économes, estimons qu'au-delà d'un dollar le nassau, ou de vingt-cinq cents le point pour un bingo-bango, nos nerfs ne résisteraient pas à l'enjeu financier.

En automne, une nonchalance primordiale fond sur l'antique jeu. Le parcours, négligé, retourne à l'état qui devait être le sien dans les patries médiévales de ce sport, le *goff* des Écossais et le *colf* des Hollandais. (Les Hollandais chaussaient pour y jouer des *colfsloffen,* ou « pantoufles de golf », à pointe de cuivre.) En cas de balle injouable, on en profite pour s'avancer un tout petit peu vers le trou, y compris dans le rough. Puisque l'ordinateur qui établit nos handicaps au dizième de point près ne fonctionne plus pour l'hiver, nous délaissons les calculs, sinon pour les modestes besoins d'un match entre amis. Le golf automnal est une sorte de vie après la mort : les pesées minutieuses de l'été s'y voient reléguées aux oubliettes et toutes nos actions, les bonnes comme les mauvaises, finissent par se confondre dans les brumes de la nostalgie. Un généreux esprit de tolérance flotte au-dessus des gazons mourants. Le grand soleil qui voit tout a cédé sa place orgueilleuse à l'œil myope d'une lune laiteuse. Le rough dénudé recèle des trésors de balles, et il y a tant de créatures pour ratisser, la nuit, le sable des bunkers dans leur course à l'hibernation, que même si les râteaux n'étaient pas enfermés dans la cabane à outils, on n'en aurait guère l'emploi. Il y a si peu de joueurs sur le parcours qu'on peut enfin aller à son rythme, sans jamais presser quiconque et sans jamais se sentir pressé ; on passera du green du quatorze au départ du dix-sept pour finir avant la nuit.

Pour le golfeur âgé, ces parcours d'automne ne sont-ils pas une douce consolation ? Le golf, plus que tout autre sport, nous laisse longtemps l'espoir de progresser. Mais ne vient-il pas une heure où même le collectionneur le plus acharné de recettes et de leçons doit se rendre à l'évidence : son handicap ne descendra pas plus bas ? Une heure où le drive merveilleusement tapé, qui jaillit dans les airs en sifflant, finit pourtant vingt-cinq mètres derrière les drives d'autrefois ? Où même la tête du putter est lourde à la main ? Où un jeu tout neuf de bois métalliques, conçu par les plus grands génies du Texas et qui a coûté mille dollars, ne suffit plus à enrayer l'inexorable érosion des performances ? Alors le golf appelle notre amour, non plus comme ce dépositaire de possibilités infinies qu'il était autrefois, mais comme la mesure de notre finitude. Tout s'est amenuisé, sauf peut-être notre plaisir. Les arbres sont des squelettes d'argent, les fantômes de nos partenaires disparus nous accompagnent, mais le jeu continue, ce bon vieux jeu de toujours qui ne manquera jamais de nous passionner et de nous surprendre. Comme une pomme entreposée dans une grange glacée, le golf n'est que plus doux à l'approche de l'hiver : chaque parcours prend à nos yeux plus de prix en ce qu'il pourrait bien être le dernier. Le dernier fer 5 vers ce green si bien défendu, le dernier grand putt d'approche, le dernier petit putt qui va tinter au fond du trou.

En Nouvelle-Angleterre, l'hiver tombe sur nous comme le couvercle d'un cercueil. Des skieurs de fond surgissent sur les fairways enneigés, des petits garçons dévalent sur leur luge, au milieu des rires, les pentes où nous traînions nos sacs en soufflant. Et cela nous fait drôle, quand on passe sur la route, de contempler l'infidèle parcours sous son manteau de glace, oublieux de tous les bons moments que nous avons eus ensemble. Ne craignez rien : au-dessous, ses contours sont intacts et il rêve à notre retour. Quand le printemps l'aura de nouveau dépouillé, nous serons là, avec nos coupe-vent, nos caleçons longs, nos souliers imperméables. Le golf en Nouvelle-Angleterre demande du caractère, mais c'est aussi le caractère qu'il trempe.

Le golf en décembre

A une heure de route au nord de Boston, les magasins de golf commencent à solder début octobre ; quand le mois s'achève, tous les pros du club se sont envolés pour la Floride où débute une nouvelle saison. Les parcours, eux, restent ouverts un mois encore – avec, les premiers temps, tous leurs drapeaux et leurs trous ; puis sans drapeau mais avec, au milieu des greens, un trou non tracé ; et enfin, sans aucun trou, mais, éventuellement, un green provisoire ménagé en bout de fairway, sur un sol inégal où les putts tiennent du bowling sur pavés. Cela n'empêche pas une poignée d'irréductibles de continuer à jouer, durant l'été indien et jusqu'à la première neige de décembre, laquelle signe l'arrêt irrévocable de la saison.

Tout comme une journée peut connaître sa plus belle heure au crépuscule ; tout comme une vie, touchant à son terme, peut marquer la révélation d'un bonheur sans mélange, le golf en décembre, tant qu'il dure, pourrait être tenu pour le meilleur de l'année.

Les bourrasques et les lies boueux d'avril-mai, le rough touffu de juin, les foules déchaînées de juillet et d'août, les trompeuses plumes d'oie et les feuilles mortes de l'automne, tout cela est fini, bien fini : sur les fairways raidis par le froid, le golf semble soudain ramené à son essence austère et innocente.

Décembre nous réserve toujours quelques journées clémentes. Le soleil luit telle une mince couche de glace au sommet des rameaux nus, le ciel est strié comme un morceau de lard, un vol tardif d'oies canadiennes fait voile vers le sud, et l'air se réjouit de fournir de l'oxygène à quelques courageux sportifs. Le foursome, réduit peut-être à deux ou trois individus, se retrouve devant un club-house cadenassé, exultant à l'idée d'avoir tout le parcours pour lui seul. Derrière les arbres nus, ce n'est qu'une enfilade de fairways dont les zigzags courent à perte de vue. Il n'y a plus de marqueurs de tees, plus d'heure de départ, plus de carte de score, plus de carts électriques : il n'y a plus que des fous de golf, portant un bonnet de laine et deux pulls chacun, qui feront le parcours à pied. L'ordinateur des handicaps étant débranché pour l'hiver, l'on ne se sent plus aiguillonné que par le plaisir tout simple de la compétition entre individus : un petit nassau à cinquante cents, par exemple. L'établissement des scores sera laissé aux bons soins du comptable ou du banquier à la retraite, dont l'infaillible mémoire devrait faire merveille. Le golf en décembre vous donne l'impression de redécouvrir le jeu, dans quelque rude royaume qui l'aurait dépouillé de ses raffinements modernes.

La balle même la plus habile part dans un bruit sinistre pour s'arrêter quelque vingt mètres derrière le point où l'eût logée un swing d'été. Ces balles d'hiver ont de bonnes chances d'être choisies au fond du sac, parmi les orphelines éraflées de la saison. Les clubs, depuis que les caddies de l'entretien sont tous au lycée ou à l'université, gardent encore dans leurs rainures les résidus herbeux de septembre et n'impriment plus qu'une ombre d'effet rétro. En un mot, les excuses sont légion pour mal jouer et le beau coup, quand il jaillit dans l'air lourd pour se perdre dans l'éblouissement du soleil hivernal, n'en gagne que plus de prestige. Les règles d'hiver, il va de soi, autorisent de généreux recours au drop sur le fairway ; et quand l'herbe est morte et compacte, qui peut dire où s'arrête le fairway ? Dans certaines circonstances, celui-ci peut même couvrir les obstacles de sable – les mares, l'absence de râteau, les interventions des ratons laveurs les ont mis dans un état que tout golfeur raisonnable prendra sur lui de rectifier avec le pied.

Bref, le golf en décembre est tout empreint d'une aimable indulgence, juste récompense du joueur qui s'est risqué à mettre le nez dehors. Le parcours lui-même, avec ses obstacles d'eau bordés de glace et ses nouveaux filets à neige, vous remercierait presque de votre visite. On le sent heureux qu'il reste des golfeurs pour enfoncer leurs crampons dans ses pentes et lui arracher des divots : dans un mois, il sera devenu la proie des skieurs de fond et des motoneiges qui le couvriront de traces imbéciles, aveugles à la logique de son dessin. La partie prend une vague saveur de feu de bois, le goût des choses qui vont bientôt disparaître.

Nous ne sommes pas tout à fait seuls. Le long du septième fairway, quelqu'un promène son chien. Deux gangsters en herbe, armés de fers à canon scié, se sont glissés par la clôture du onze que l'on n'a toujours pas refaite. Trois membres de l'équipe d'entretien ont garé leur pick-up devant le quinze ; ils travaillent à dégager ce massif de sumacs et de chênes où plus d'une balle est allée s'engloutir. En décembre, les bosquets qui, en juillet, semblaient d'impénétrables jungles, hérissés d'épines, ruisselantes de poisons, ne sont plus qu'un amas de tiges et de brindilles dont on se débarrasse sans mal, dans une clarté d'eau vive. Le grincement des tronçonneuses se fait entendre. Au départ du seize, il y a de quoi vous déconcentrer, mais le bruit va s'atténuant pour ne plus être, sur le green du dix-sept, qu'un bourdonnement familier.

Est-ce l'épaisseur des vêtements chauds ? La nudité des lies ? La peur que, de froid, la balle ne casse comme le verre ? En tout cas, j'ai remarqué que mon swing, en décembre, s'étrique. Quand les jours raccourcissent, il semble que mon backswing en fasse autant. Je me surprends à vouloir pousser ma balle, je joue trop en avant et mes balles partent en pull de plus en plus prononcé pour mon plus grand déplaisir comme pour celui de mon partenaire. Il me faut alors beaucoup d'imagination – un long périple intérieur vers les fluides tiédeurs de l'été – pour me rappeler que le golf est un jeu où l'on s'abandonne et que le geste doit être ample et souple. Je m'exhorte : *Lance tes mains vers le trou,* ou encore : *Pivote, pivote* ; et il arrive que mes coups se remettent à claquer nettement, que mes balles montent une fraction de seconde supplémentaire avant de culminer.

Mais à ce moment-là, le nassau est déjà joué et l'obscurité, sortant des bois, s'avance sur les fairways. Le flot joyeux de plaisanteries s'est peu à peu tari. L'onglée s'immisce dans vos souliers ; vous ne sentez plus les doigts de votre main droite et vous avez froid au visage. Il est temps de rentrer. La radio promet de la neige pour demain. *Lance tes mains vers le trou.* Le dernier swing est un jeu d'enfant et la balle disparaît au loin, grise contre l'horizon gris, droit sur le point où devrait s'élever le drapeau du dix-huit. Après sept mois de vaines recherches, le secret du golf est enfin retrouvé. Il s'agira maintenant de bien le garder en tête, durant tous ces mois où il faudra rester chez soi, sans le laisser fondre.

Remerciements

Mes chaleureux remerciements aux magazines et aux éditeurs qui ont permis la publication des textes suivants :

The New Yorker : « Rêves golfiques », « Boire à la tasse sans effort », « Y a-t-il une vie après le golf ? » *« Le pro », « Intercession », « Farrell et son caddie », « Sur une marche de podium gagnée en tournoi senior ».*

Golf Digest : « Pensées sur le swing », « Ces fameux putts d'un mètre » (auxquels s'ajoutent des extraits de *« Putting Thoughts »*), « Gare au gimme », « La question du caddie », « Exercice moral », « Le grand méchant boom », « La camaraderie du golf I et II » (II paru à l'époque sous le titre : *« Golf Partner, Why Do I Love Thee ? »*), « La vie est-elle trop courte pour jouer au golf ? », « Golf en décembre ».

The New York Times Book Review : « A propos d'un trip ».

Ontario Review : « Le propriétaire de golf ».

Meetings & Conventions : « Le golf populaire ».

Rêves de golf

The New Republic : « Golfeurs ».
Amateur Championship Annual : « Les joies du golf ».
The Golf Club : « Golf et littérature » (Basé sur une postface à une réimpression de *The Mistery of Golf,* d'Arnold Haultain).
USGA 1988 Open Program : « Le golf télévisé ».
The Massachusetts Golfer : « Mémoires d'un arbitre ».
USGA 1984 Women's Open Program : « Travaux de femmes ».
Senior Golfer : « Le golfeur yankee ».

« Trois parties avec Harry Angstrom » et « Un beau parcours avec Tom Marshfield » sont extraits des romans *Cœur de lièvre, Rabbit est riche, Rabbit en paix* et *Un mois de dimanches,* parus à l'origine chez Alfred A. Knopf, Inc. (Traductions françaises aux Éditions du Seuil pour *Cœur de lièvre* et aux Éditions Gallimard pour les trois autres titres.)

DU MÊME AUTEUR

Cœur de lièvre, Seuil, 1962

Les Plumes du pigeon, Seuil, 1964

Le Centaure, Seuil, 1965

La Ferme, Seuil, 1968

Couples, Gallimard, 1969

Les Quatre Faces d'une histoire, Seuil, nouvelles, 1971

Bech voyage, Gallimard, 1972

Rabbit rattrapé, Gallimard, 1973

Des musées et des femmes et autres nouvelles, Gallimard, 1975

Un mois de dimanches, Gallimard, 1977

Épouse-moi, Gallimard, 1978

La Vie littéraire, Gallimard, essai, 1979

Le Putsch, Gallimard, 1980

La Concubine de Saint-Augustin et autres nouvelles, Gallimard, 1981

Rabbit est riche, Gallimard, 1983

Bech est de retour, Gallimard, 1984

La Navigation littéraire, Gallimard, essai, 1986

Les Sorcières d'Eastwick, Gallimard, 1986

Trop loin : les Maple, Gallimard, 1986

Ce que pensait Roger, Gallimard, 1988

La Condition naturelle, Gallimard, 1988

Confiance, confiance, Gallimard, 1989

Un simple regard, Horay, 1990

S, Gallimard, 1991

Être soi à jamais : mémoires, Le Messager, 1992

Rabbit en paix, Gallimard, 1993

La Parfaite Épouse, Gallimard, 1994

Brazil, Seuil, 1996

*Cet ouvrage a été transcodé
et achevé d'imprimer sur Roto-Page
par l'Imprimerie Floch à Mayenne,
pour les Éditions Albin Michel
en mai 1997.*

*N° d'édition : 16513. N° d'impression : 41381.
Dépôt légal : mai 1997.*

Imprimé en France